Internet et nous

2. L'homme dans la cité numérique : le printemps des médiateurs ?

les nouveaux cahiers de l'irepp

INTERNET ET NOUS
Deuxième partie

é d i t o r i a l

Le printemps des médiateurs

Le précédent numéro des *Cahiers* nous a rassurés sur le destin des intermédiaires du commerce et des échanges, en dépit des menaces que font peser sur eux les nouvelles chaînes de valeur ajoutée. Professionnels du marketing, de la publicité, de la distribution ou de la VPC, opérateurs du courrier : tous se préparent et seul le *retard français* les empêche encore de déployer leur nouveau savoir-faire sur toute l'étendue de la planète. On trouve bien sûr des réfractaires définitifs tel Jacques Laurent, mais la "catégorie socio-professionnelle" des écrivains papier-stylo ne constitue sans doute pas un échantillon représentatif de la population...

Et* nous, *nous les citoyens ? En tant que consommateurs, nous voulons bien admettre que nous serons plus choyés que nous ne le fûmes jamais. Nous voulons bien concéder, sous réserve d'inventaire, que la société de l'information va créer plus d'emplois qu'elle n'en abolit. Mais la production-consommation n'épuise pas nos virtualités. Si l'*homo œconomicus* qui s'affaire en chacun de nous veut bien jouer le jeu, *homo politicus*, *homo sapiens* et quelques autres veulent en savoir davantage. Réfléchissant au destin des territoires, Jean-Louis Guigou suggère que l'émergence du global et la renaissance simultanée du local semblent se produire aux dépens des États-nations, ces "intermédiaires géopolitiques" : c'est bien un village planétaire qui prend forme sous nos yeux. Ou comme le dit de manière frappante Régis Debray : « *mondialisation des objets, tribalisation des sujets* ».

Emergence du global et renaissance du local

Le "local" constitue la maille la plus pertinente pour un projet de développement fondé sur les NTIC

Ville numérique ? En introduction aux Cahiers 20, nous avons suggéré que l'Internet ressemble précisément à une ville. Aussi n'est-il pas surprenant que les municipalités, grandes et petites, soient parmi les acteurs les plus présents sur l'Internet, sans compter les départements, régions et autres *pays*. A vrai dire, le "local" constitue la maille la plus pertinente pour un projet de développement fondé sur les NTIC. C'est la juste dimension, le microcosme complet qui permet de réunir des entreprises, une université, un centre de recherche, une ou plusieurs collectivités publiques, le cas échéant des organismes à vocation culturelle, dans un projet à taille humaine.

En matière de communication, on pourrait

penser que la proximité physique rend superflue la mise en œuvre de réseaux locaux. L'expérience prouve le contraire : c'est "en ligne" que se rencontrent des acteurs qui ne communiquaient guère jusqu'ici, fussent-ils voisins de palier : telle PME en quête d'une expertise qu'elle ne peut s'offrir à temps plein va découvrir sur l'*Intranet municipal* que cette expertise existe dans le centre de recherche voisin et qu'elle est partageable. Décidément, la distance n'est pas seulement géographique : barrières sociales, intellectuelles, professionnelles. Or, à défaut d'abattre les cloisons, les réseaux permettent tout au moins de les percer. Plus tard, la pratique de *la vie en ligne* conduira à partager aussi des ressources lointaines, au-delà des frontières. Mais attention : si le réseau permet à la moindre cité de mettre en valeur ses pôles d'excellence aux yeux du monde entier, elle donne en même temps à toutes les entreprises du monde un accès commode à son propre marché local. Pour quelques dizaines de milliers de francs d'investissement, un astucieux cyber-commerçant peut même ouvrir une boutique virtuelle mondiale qui concurrencera ses confrères locaux.

Mais comment convaincre les citoyens de s'installer dans la ville numérique ? Norbert Alter et Rémi Bachelet nous ont montré que l'innovation sociale ne progresse pas au même rythme que l'innovation technologique. C'est pourquoi l'exemple de Parthenay doit être médité et, sans doute, imité : un long travail de fond axé sur la participation des citoyens y a précédé la mise en œuvre des technologies. On peut prévoir qu'elles n'en seront que plus rapidement adoptées, si vraiment elles

favorisent autant qu'on le dit l'initiative et l'autonomie.
Après avoir entendu des maires "ensembliers d'économies externes" (comme les qualifie Jean-Louis Guigou), il nous faut encore examiner d'autres formes de médiation et médiateurs, sommés, comme les intermédiaires du commerce et des échanges, de s'adapter ou périr...
En matière de médias, justement, Jean-Pierre Guéno fait un sort à une idée aussi fausse que tenace : à savoir qu'un nouveau média doit nécessairement tuer ceux qui l'ont précédé dans l'histoires des techniques. Tout prouve le contraire : la télévision n'a pas tué la radio qui elle-même n'a pas tué la presse. Même l'archaïque télégramme qui semblait avoir succombé à la diffusion du téléphone puis du fax pourrait bien connaître une forme de renaissance avec la distribution postale du courrier électronique et la généralisation du courrier hybride ! Il reste que l'irruption d'un nouveau média contraint les autres à s'adapter, c'est-à-dire, le plus souvent, à découvrir leur vraie vocation (le cas de la radio est exemplaire) et aussi à expérimenter des *synergies* avec d'autres médias.
Le caractère plurimédia de l'Internet en fait, il est vrai, un concurrent redoutable mais Jean-Marie Colombani y voit une chance pour la presse écrite, tandis que Thierry Leterre observe, contre maint préjugé, que l'Internet redonne de la vitalité à la culture de l'écrit !

Le maire, un "ensemblier d'économies externes"

L'irruption d'un nouveau média contraint les autres à s'adapter et non à disparaître

Dans le domaine des services financiers, un sou est un sou, cela ne surprendra personne. Il est donc significatif que Jacques Lenormand, qui passe dans la profession pour être un homme particulièrement attentif aux *résultats*, mette en valeur le facteur humain dans les réseaux financiers, alors que tant d'autres en dénoncent le coût à l'heure de la banque directe et sans guichet.
En matière d'éducation, Jean-Louis Durpaire, inspecteur d'académie, milite pour l'Internet à l'école. Il y voit surtout un remarquable outil documentaire, à condition, là encore, que des médiateurs – documentalistes et professeurs – assistent et guident les élèves dans leur exploration des nouveaux espaces du savoir et de l'information.
Si les administrations locales font preuve d'un zèle remarquable dans l'expérimentation des services en ligne, l'*Administration* est sans doute plus difficile à mouvoir, d'abord rétive, puis attentiste, puis troublée... Il est vrai que la culture administrative est étrangère à la logique même des réseaux : une véritable incongruité dans un milieu structuré par la voie hiérarchique ! *Eppure si muove* : information, formalités en ligne, fonctions de tiers de confiance... les expériences se multiplient, toujours dans la même perspective : réduire les charges et les délais de l'intermédiation matérielle (symbolisée par l'odieuse file d'attente au guichet) pour mieux assumer la médiation humaine. L'administration enfin rendue à sa vocation de médiateur entre les citoyens et les difficultés de la vie dans une société organisée : ainsi soit-elle !
Et que dire alors de ces médiateurs au carré que sont, par exemple, les *associations* qui militent pour l'appropriation des technologies par le

corps social et ses institutions : c'est le cas de l'Association des villes numérisées dont le fondateur nous décrit les motivations et les objectifs. Ou encore, à une tout autre échelle, de La Poste qui, outre qu'elle est par nature une entreprise d'intermédiation (courrier, colis, services financiers...), l'est aussi "au carré" dans la mesure ou elle contribue à l'appropriation des technologies par les citoyens, usagers et clients, individus et entreprises.

On nous permettra d'attirer l'attention sur le texte, "difficile", de Pierre Lévy. *Universel sans totalité* : cela peu paraître un peu abstrait. Et pourtant, Pierre Lévy aborde là un des aspects les plus passionnants de la société de l'information auquel même les plus farouches contempteurs du cyberespace rendent un hommage involontaire en s'indignant qu'il ne soit pas encore accessible à tous.

Et après avoir ainsi exploré les différents quartiers de la cité numérique et donné la parole à des médiateurs sans complexe, nous avons demandé à René Malgoire, fondateur de l'Irepp de nous aider à rédiger une (difficile) synthèse. Pour ouvrir des perspectives à défaut de conclure.

Paul Soriano

CHAPITRE 1

LA CITÉ NUMÉRIQUE

On verra bientôt que c'est de la France profonde *que naissent parfois les initiatives les plus séduisantes* en matière d'applications civiques, annoncions-nous en conclusion des *Cahiers 20.*

Philippe Parmantier, rédacteur en chef de la Lettre *Autoroutes de l'information et territoires* nous propose un panorama des expériences françaises et étrangères. Marly-le-Roi, Parthenay, Issy-les-Moulineaux, les Ardennes : quatre projets d'inspiration et de contenus différents. L'un plus politique, l'autre plus social, le troisième plus technologique, le dernier plus économique et culturel. Il est d'autant plus significatif que tous quatre affichent les mêmes priorités dans l'action : sensibiliser, former aux usages, expérimenter.
Question préalable : en abolissant l'espace et le temps, Internet ne rend-il pas caduque la notion même de territoire ?

P.S.

1

Jean-Louis Guigou

La fin des territoires ?

Face à la montée corrélative du global et du local, des échelons territoriaux intermédiaires, à commencer par l'Etat-nation, auraient-ils fait leur temps ? Que devient, dans ce contexte, l'aménagement du territoire ? Et comment la DATAR prend-elle en compte cette reconfiguration qui remet en question les multiples divisions administratives du territoire français ?

On dit que les réseaux planétaires abolissent les distances. Pensez-vous que cela entraîne la fin des territoires ?

Jean-Louis Guigou : Nullement. Pour la bonne raison qu'un territoire ne se réduit pas à “de la distance” qu'il s'agirait de parcourir dans le minimum de temps pour en réduire le coût de franchissement grâce à la “baisse tendancielle des coûts de transport”. Le territoire n'est pas réductible à l'espace.

Qu'est-ce qui les différencie ?

Jean-Louis Guigou : L'espace est une dimension dans laquelle se déploie l'économie (où l'on vise à accélérer les échanges et les flux). Le territoire est le monde de la culture, de l'histoire et des institutions “à sang chaud”. On pourrait presque les opposer terme à terme. L'espace implique la mobilité ; le territoire la sédentarité. Dans la relation au temps, l'espace évoque l'éphémère, le territoire la durée : il a une *histoire*... Le langage rend bien compte de la différence : on parle de *territoire* communal ou national, mais d'*espace* rural, intercommunal, communautaire (sans doute parce que l'Europe n'est pas – pas encore ? – un territoire). On parle aussi de "cyberespace".

Le territoire n'est donc pas neutre ?

Jean-Louis Guigou : Non. Ceux qui présument la neutralité du territoire me font penser aux économistes qui présument, à tort, la neutralité de la monnaie. Du reste, vous observerez que même la mondialisation s'accomplit, en fait, dans le cadre de grands ensembles se situant, en quelque sorte, entre espace et territoire (Union européenne, Pacifique...).

Donc le territoire serait un obstacle au développement de l'économie et nous nous dirigerions vers une économie "a-territoriale"... sous l'œil des satellites ?

Jean-Louis Guigou : Je ne le crois pas. Les multinationales ne représentent après tout que 20 % environ de l'économie et de l'emploi. 80 % sont produits par des PME ou des grandes entreprises "territorialisées" (Peugeot à Sochaux, Michelin à Clermont-Ferrand). D'autre part, les multinationales savent tirer parti de la différenciation des territoires. Enfin, le territoire peut constituer un extraordinaire gisement d'*économies externes*, ce que les entreprises italiennes, allemandes ou japonaises savent particulièrement bien exploiter en tissant mille liens avec leur territoire. Au Japon, les "animateurs du développement local" sont payés l'équivalent de 20 000 francs par mois.

Le territoire, ce sont les repères et le droit à la différence. L'espace, c'est l'homogénéité et l'égalité

Le territoire est un gisement d'économies externes

La forte mortalité des entreprises françaises est due, en partie, à l'insuffisance des économies externes

Une entreprise tire profit d'un environnement favorable

*Pouvez-vous nous donner un exemple d'*économies externes *?*

Jean-Louis Guigou : Lorsqu'un agriculteur abandonne la culture du blé pour celle de la lavande, son voisin apiculteur en retire immédiatement un "avantage externe" (de proximité), sans avoir rien investi pour en bénéficier. Plus généralement, une entreprise peut tirer profit d'un environnement favorable : la présence d'une université ou d'un centre de recherche. La *Silicon Valley*, considérée comme la référence en matière de NTIC, est bel et bien un *territoire* du point de vue des économies externes, avec une intégration forte des entreprises, des universités et des centres de recherche, sans compter la "culture californienne".... Car une cité, une région peuvent aussi attirer des cadres et des entrepreneurs par la qualité de leur animation culturelle. Lorsque ces économies externes font défaut, les entreprises doivent en trouver l'équivalent en interne au risque de s'y épuiser et d'y épuiser leurs collaborateurs. Résultat : les Allemands travaillent moins que nous (1 450 heures par an en moyenne contre 1 850 en France) pour des résultats au moins équivalents. Je suis convaincu que la forte mortalité infantile des entreprises françaises (50 % disparaissent au bout de quatre ans) est, en partie, due à l'insuffisance des économies externes.

Qui est censé développer ces économies externes ?

Jean-Louis Guigou : A l'échelle des villes, je définirais volontiers le maire comme un "ensemblier chargé de produire des économies externes". Nous avons, fort heureusement, en France de nombreux maires qui répondent à cette définition. Mais, dans l'ensemble, notre pays est moins bien loti que ses voisins : on compte au moins 130 districts économiques en Italie (la chaussure, l'ameublement, etc.). Les nôtres sont moins nombreux, bien qu'on puisse citer en exemple celui du Choletais vendéen dans le textile (Eram, Dim...). La centralisation et la division taylorienne du travail ont même détruit nos anciens districts : la coutellerie à Thiers, la bonneterie au Vigan, les tracteurs à Vierzon. La construction de tels ensembles doit se faire aux échelles moyennes (agglomérations, pays).

Revenons aux réseaux. On dit qu'ils se jouent des frontières : ne constituent-ils pas une menace pour les territoires ?

Jean-Louis Guigou : J'observe en effet des menaces sur les territoires, qui ne se réduisent pas au déploiement de l'Internet mais que celui-ci tend à aggraver. L'Internet "radicalise" en quelque sorte une mondialisation de l'économie déjà largement accomplie. Elle affecte en particulier les solidarités nationales. Prenez l'exemple de l'Italie : tant que l'argent transféré du Nord vers le Mezzogiorno permet aux méridionaux d'acheter les produits fabriqués par les industries du nord du pays, tout va à peu près bien. Mais si les transferts servent à acheter des produits à Taïwan, le Nord ne marche plus...

Quel est l'impact spécifique des réseaux ?

Jean-Louis Guigou : A la logique économique, l'Internet offre une réduction des coûts de transaction, en particulier des coûts de franchissement de l'espace : il abolit la distance physique et lui substitue la distance technologique (un serveur encombré, mal desservi semble "lointain" même s'il est géographiquement proche). D'un autre côté, l'Internet est le siège de phénomènes communautaires non territoriaux (les communautés d'intérêt) où seules les différences culturelles, à commencer par la langue, évoquent encore la présence territoriale puisque culture et territoire sont encore étroitement corrélés.

Local, global, déterritorialisation, reterritorialisation : on en retire une impression de confusion...

Jean-Louis Guigou : C'est exact. Par exemple, l'évolution de l'économie et des entreprises est affectée par des mouvements contradictoires : d'un côté on voit apparaître des entreprises aux frontières mal déterminées ou même nomades (des entreprises éphémères aussi) ; de l'autre, on assiste à la territorialisation accrue d'entreprises qui exploitent au mieux les économies externes. Alors que les Etats sont de plus en plus "transgressés" par les flux économiques, il sont en même temps de plus en plus sollicités pour assurer un minimum de régulation sociale.

A la logique économique, l'Internet offre une réduction des coûts de transaction

L'Internet est le siège des phénomènes communautaires non-territoriaux

La montée du local s'accompagne aussi d'une montée des intégrismes

Des puissances économiques sans territoire émergent

Ne perçoit-on pas cependant des mouvements de fond ?

Jean-Louis Guigou : Oui. Il n'y a pas à proprement parler de contradiction entre la montée simultanée du global et du local. Mais l'une et l'autre se font aux dépens de certains ensembles intermédiaires, à commencer par l'Etat-nation. Un économiste marxiste dirait que le lien historique entre capitalisme industriel et territoires nationaux a fait son temps... Là encore, le déploiement des réseaux renforce ce phénomène : non seulement ils offrent une infrastructure à la mondialisation de l'économie mais ils favorisent aussi l'autonomie du local en lui permettant d'accéder directement à ce marché mondial... A cet égard, on ne peut qu'être frappé par l'émergence de puissances économiques pour ainsi dire sans territoire : Singapour, Hong Kong, Taïwan (une "région-Etat"). Un peu comme les villes-Etats du passé : Venise, par exemple...

Je suppose qu'à la DATAR on devrait plutôt bien accueillir la "montée du local" ?

Jean-Louis Guigou : Oui, quand elle signifie désenclavement, ouverture sur le monde, revitalisation du tissu économique... Paradoxe : ce sont nos régions les plus enclavées (et qui ont, de ce fait, conservé leur identité) qui peuvent le plus "intéresser" le reste du monde à condition de se faire connaître. Mais la montée du local s'accompagne aussi d'une montée des intégrismes de toute nature, "tribalisme régional" et xénophobie comme on ne l'a que trop vu récemment dans l'ex-Yougoslavie, et cela d'autant plus facilement que les identités nationales déclinent. C'est beaucoup moins réjouissant... Et le déclin annoncé des Etats-nations ne l'est pas davantage pour les Français (si l'on admet que la France est le type même de l'Etat-nation).

Qu'en est-il de la ville ?

Jean-Louis Guigou : C'est un autre sujet d'inquiétude. Historiquement, la ville est un territoire, caractérisé par la *mixité* (des activités, des races, des milieux, des âges...) et l'économie patrimoniale. Aujourd'hui, beaucoup de grandes villes du monde sont affectées par une véritable déstructuration, comme si le territoire régressait vers le pur espace urbain où la mixité fait place à la ségrégation par la race, par l'argent...

Au total, vous suggérez une véritable ré-ingénierie politique (pour l'Etat-nation) et géopolitique" (à l'échelle planétaire) ?

Jean-Louis Guigou : Il est un peu tôt pour établir un tel diagnostic. Et même si les tendances étaient confirmées, nul ne peut présumer du rythme auquel ces phénomènes vont se développer. D'autant que les Etats conservent une capacité d'adaptation. Enfin, c'est en temps de paix que l'économie impose sa logique : en temps de guerre ou de conflit, tout peut changer...

La France ?

Jean-Louis Guigou : Elle possède des atouts évidents : un Etat unitaire fort, un attachement majoritaire des Français à leur nation, un territoire cohérent ("l'Hexagone"). En France, le défi à l'Etat tient dans trois obligations : maintenir l'unité politique grâce à un projet collectif, assurer la cohérence administrative et garantir la cohésion sociale par l'égalité d'accès aux prestations des services publics (éducation, santé, transports...) et engendrer ainsi des "économies externes" susceptibles d'attirer des entreprises en quête de localisation ! Pour cela, l'Etat doit entreprendre sa propre "réingénierie" (pour employer votre expression) : la recomposition des territoires et l'adaptation du droit à ces nouvelles réalités géographiques (lesquelles renouent bien souvent avec l'histoire) avec des transferts de compétences vers le "haut" (Union européenne) et vers le "bas" (poursuite de la décentralisation).

L'aménagement du territoire prend-il en compte cette reconfiguration territoriale ?

Jean-Louis Guigou : Bien sûr. Notamment à travers la notion de "territoire pertinent". Un territoire est pertinent par sa capacité à rassembler les énergies organisationnelles pour promouvoir le développement à une échelle donnée ou pour répondre à une demande de services. Ces territoires sont de nature et de taille différentes et s'affranchissent bien souvent des découpages administratifs : c'est ainsi qu'on décompte en France environ 3 200 bassins de vie correspondant à la satisfaction des besoins de la vie quotidienne (à la dimension approximative du canton). Ou encore 350 bassins d'emploi (niveau des agglomérations et des "pays" de la loi d'aménagement du territoire). Et enfin les zones de concentration de population que sont de grands bassins de peuplement organisés autour de cinq grands fleuves : la Seine, le Rhône, la Loire, la Garonne, les vallées du Rhin et de la Moselle. Bien entendu, l'organisation des services publics doit s'adapter à ces nouvelles répartitions géographiques, en tenant compte des possibilités offertes par les NTIC en matière de communication et de partage de ressources.

Un territoire est pertinent par sa capacité à rassembler les énergies organisationnelles

Il s'agit d'accepter et de mettre en œuvre un modèle polycentrique

Il faut développer rapidement en France une culture des NTIC

Devenir des ensembliers d'économies externes

Quel est, à cet égard, la vocation de la DATAR ?

Jean-Louis Guigou : Elle est d'abord anticipatrice et "symbolique" : donner du sens à de futures réalités politiques et administratives. Elle doit ensuite contribuer à l'actualisation de cette vision partagée, par son action interministérielle, par la loi et le contrat...

Pour faire transition vers le thème des villes numérisées, que pensez-vous des projets de développement local fondés sur les "nouvelles technologies de l'information et de la communication" ?

Jean-Louis Guigou : Je crois qu'il faut en effet développer rapidement en France une "culture des NTIC". Les collectivités locales sont un lieu pertinent pour la sensibilisation et la formation à ces nouveaux usages. D'autre part, la mise en réseau des ressources locales peut produire de l'innovation organisationnelle pour développer la coopération des acteurs. Pourtant, un projet de développement ne saurait selon moi "être fondé sur" les NTIC. Ni la densité des équipements, ni même la généralisation des compétences d'usage ne suffisent à engendrer le développement. Les technologies m'apparaissent plutôt comme des outils au service d'un projet qui, lui, relève d'une véritable stratégie fondée sur des pôles d'excellence. On retrouve la notion d'économie externe et la mission des élus telle que je la définissais tout à l'heure : devenir des ensembliers d'économies externes. ■

Jean-Louis Guigou

Jean-Louis Guigou, 58 ans, ingénieur agronome, professeur agrégé des Universités est directeur à la DATAR. Ses spécialités : l'économie urbaine, régionale, rurale ; les problèmes fonciers ; l'aménagement du territoire national et européen ; le développement régional et local ; les institutions nationales et européennes. Il est notamment l'auteur de *Une ambition pour le territoire. Aménager l'espace et le temps*, Paris, l'Aube-DATAR, 1995.

État civil

Bibliographie :

- Bertrand Badie, *La Fin des territoires. Essai sur le désordre international et sur l'utilité sociale du respect*, Paris, Fayard, 1995.
- Kenichi Ohmae, *The End of the Nation State : The Rise of Regional Economics*, New York, The Free Press, 1995.
- Joseph Le Bihan, *Vers la fin des Etats-nations*, Entretien in *Enjeux les Echos*, décembre 1995.

1

Panorama des expériences

Les collectivités locales françaises font preuve d'un réel dynamisme pour expérimenter les services en ligne. Développement des infrastructures, sensibilisation et formation des professionnels et des particuliers, Intranets municipaux, information et services publics en ligne : Philippe Parmantier nous présente un état des lieux.

La question cruciale qui est aujourd'hui posée est celle du développement rapide de la société de l'information. Si les élus sont plus nombreux à considérer ces technologies comme un facteur de progrès social, de développement économique et de création de nouveaux emplois, l'accès au réseau par le plus grand nombre demeure un véritable obstacle, avec notamment des risques de ségrégation entre monde urbain et rural, entre citoyens utilisateurs et exclus. Les pouvoirs publics au niveau national et les collectivités locales vont devoir investir massivement en valorisant les complémentarités de chaque échelon territorial. Ce qui supposera un engagement dans des politiques de plus en plus coordonnées entre les conseils régionaux, les conseils généraux, les communes et les chambres consulaires. Les collectivités locales sont en retard, c'est vrai, en raison du faible taux d'équipement des ménages et d'une réticence persistante (le maire d'une

Ségrégation entre ville et campagne ?

Malgré des expériences innovantes, les communes souffrent encore d'une absence de politique d'ensemble

Agences technologiques : Aquitaine Nouvelles Communications, prépare un plan pour 2005, l'Agence Régionale de Développement du Limousin et la cellule ITR de Bretagne (Informatique Télécoms Réseaux) sont chargées de concevoir et d'animer des campagnes de sensibilisation et d'expérimentation (Acticiel et Cyber Bretagne).

grande ville décrétait récemment qu'Internet n'entrerait pas en mairie !). Mais malgré ces résistances, les collectivités locales s'engagent clairement aujourd'hui dans des actions d'équipement d'infrastructures de télécommunications (pour offrir aux entreprises des liaisons performantes et bon marché) et dans des politiques de services interactifs plutôt orientées vers le développement économique et l'amélioration de la vie locale.

Dressons un tableau rapide. Les communes et leurs groupements, qui gèrent les services de proximité, sont les plus actives dans le développement d'expériences innovantes, même si elles souffrent encore d'une absence de politique d'ensemble. Les conseils généraux jouent la carte de la solidarité. Pour corriger les déséquilibres entre le monde rural et le monde urbain, certains câblent leur territoire (Rhône, Bas-Rhin, Hérault) ou participent à l'équipement des communes en offrant des modems et des accès gratuits à Internet (Vienne). D'autres apportent aux communes rurales un appui technique et informationnel par l'intermédiaire de réseaux Intranets (Manche, Alsace, Charente-Maritime). Et une majorité utilise ces outils dans des actions de promotion économique et touristique. Les conseils régionaux accompagnent les politiques sectorielles dans les domaines de l'éducation, de la formation, de la santé et du développement économique. Beaucoup s'appuient sur des agences technologiques chargées de faire émerger les projets.

Investir dans les réseaux pour maîtriser le développement

« Avec l'accroissement des besoins de communication des entreprises, le maillage, la capacité et le coût d'utilisation des infrastructures de télécommunications deviennent déterminants dans les politiques d'aménagement et de développement des territoires », estime Roger Mézin, vice-président du conseil régional de Picardie. Une tendance qui conduit les collectivités locales à créer leurs propres réseaux métropolitains. Besançon a initialement investi pour réduire ses dépenses en liaisons louées. Puis, le retour rapide sur investissement aidant, d'autres organismes ont demandé à se raccorder au

réseau. Aujourd'hui, la municipalité regarde plus loin et étudie les conditions de réalisation d'une liaison à haut débit vers Paris, afin d'attirer de nouvelles entreprises. De son côté, la municipalité de Tours achève une évaluation des besoins en télécommunications au niveau international, national, départemental et local, afin d'offrir à ses entreprises des liaisons à haut débit à un coût compétitif. Deux appels d'offres vont être lancés. Le premier, pour la réalisation d'une liaison Paris-Tours. Le second pour la création d'un réseau métropolitain avec des extensions sur le département. Une vingtaine de collectivités locales sont engagées dans des travaux similaires : Nancy, Lyon, Castres, Bobigny, Saint-Etienne, Valenciennes, Issy-les-Moulineaux... Le monde rural n'est pas totalement exclu de cette course à la puissance. Les technologies MMDS de diffusion "micro-ondes" offrent des services équivalents aux réseaux câblés à un coût nettement inférieur. La Vienne va tester un réseau de diffusion numérique sur deux cantons. Il offrira un bouquet de chaînes TV et des téléservices. Felletin, dans la Creuse, ouvrira cet été un réseau de services grand public et professionnels. Quant aux réseaux câblés déployés par les départements du Rhône, du Bas-Rhin et de l'Hérault, ils ont pour but de rétablir une certaine équité entre l'urbain et le rural.

Des réseaux métropolitains

Les collectivités investissent dans les NTIC pour attirer des entreprises

MMDS : **Multipoint Multichannel Distribution System.** *Réseau local hertzien dont la mise en œuvre n'exige aucun travail de génie civil.*

Internet : outil de promotion économique et touristique

Préoccupées par le maintien du niveau des emplois et les recettes de taxe professionnelle, les collectivités locales investissent dans les technologies de l'information avec l'espoir d'attirer des entreprises. Sur 150 Web officiels recensés aujourd'hui dans les collectivités locales, près de 80 % ont une dominante économique ou touristique. La mairie d'Issy-les-Moulineaux a été une des premières à se mobiliser. Son Web présente les aides à l'implantation, les zones d'activités, les services et équipements proposés aux partenaires économiques, les entreprises locales et les clubs économiques. Mais le Web impose un effort constant de promotion pour obtenir des résultats. C'est ce qui incite certaines collectivités locales à se regrouper sous une bannière commune

150 Web officiels recensés aujourd'hui

Les villes s'engagent dans la création de véritables banques de données sur les sites d'implantation

afin de partager leur image et leurs coûts de fonctionnement. *Grand West*, créé par un noyau institutionnel comprenant le conseil général de Loire-Atlantique, les villes et les CCI de Nantes et de Saint-Nazaire propose cette forme de mutualisation des moyens. Un budget 600 000 F a été mobilisé dès la première année de fonctionnement. *Cherbourg Channel* qui réunit la communauté urbaine, la CCI et le Syndicat mixte des après-chantiers du Cotentin offre un concept et des services équivalents.
A côté des Web promotionnels, les collectivités locales s'engagent dans la création de véritables banques de données sur les sites d'implantation. A Nancy, la communauté urbaine, en partenariat avec l'Institut Lorrain du Génie Urbain, met au point un Intranet s'appuyant sur un système d'information géographique pour présenter les zones d'activité de l'agglomération avec une mise à jour en temps réel. Les acteurs économiques locaux et les attachés commerciaux d'ambassades disposeront d'un outil de travail leur permettant de répondre rapidement à une demande. Le service leur offre un choix de 20 critères de sélection, des informations économiques sur le type de production des entreprises et la possibilité de passer d'une carte régionale au plan détaillé d'un terrain disponible.
Dans les Alpes-Maritimes, la Chambre de commerce de Nice, en partenariat avec le conseil général, a ouvert un espace de présentation doté de fonctions équivalentes. Un atelier de montage électronique permet d'assembler en temps réel des documents de présentation multimédia diffusés dans les salles de projection. Ainsi, les collectivités locales mettent en œuvre une variété de services pour aider les entreprises à se développer : des bourses d'opportunités, des formations à l'utilisation productive du réseau (Cyber Bretagne) une assistance en ligne aux créateurs d'entreprises (Niort). La promotion touristique est également bien représentée sur Internet avec plus de 400 sites officiels et officieux. Les offices du tourisme n'hésitent plus à valoriser leur territoire, y compris dans les communes rurales, en mettant l'accent sur la gastronomie, les monuments, le patrimoine muséographique, les paysages.

A une échelle plus large, les départements et parfois les régions ont entrepris de moderniser leurs systèmes d'information touristique. Les centre départementaux de tourisme du Cantal et des Bouches-du-Rhône ont ainsi créé de véritables banques de données multimédia sur Internet pour faciliter la préparation d'un voyage. Ils référencent les sites remarquables (paysages, patrimoine), les manifestations culturelles, les circuits de visites et les loisirs organisés, ainsi que toute la gamme des hébergements disponibles.
De tels sites sont lourds à gérer. Le site du Cantal compte 1000 pages d'informations, celui des Bouches-du-Rhône 5 000 pages. Une partie des mises à jour est décentralisée dans les offices municipaux. Les efforts se concentrent désormais sur la création de systèmes de réservation fiables et le déploiement de la vente par correspondance des produits régionaux, grâce au commerce électronique.

Gastronomie, monuments et paysages

Le site du Cantal compte 1 000 pages d'informations, celui des Bouches-du-Rhône 5 000 pages

Vie locale : précéder l'équipement des citoyens ?

La vie locale constitue un champ d'expérimentation prometteur bien que la portée des initiatives municipales soit limitée en raison du faible taux d'équipement des familles en micro-ordinateurs. Trois domaines sont privilégiés aujourd'hui : la culture, le social et la modernisation administrative.
Internet apporte aux équipements culturels un regain d'audience. Les collections numérisées des musées, les ouvrages en ligne des bibliothèques, contribuent à démocratiser l'accès aux œuvres. Le Web de la bibliothèque de Lyon donne un aperçu des atouts de la numérisation : la mise en réseau des quinze bibliothèques annexes, qui a facilité les échanges entre les professionnels, permet de diffuser un catalogue d'un million de références et de réserver un ouvrage en ligne. Le Web donne accès à des collections de livres rares et de manuscrits richement enluminés, trop fragiles pour être exposés. Il autorise l'organisation d'expositions virtuelles, de débats et de forums. Grenoble et Saint-Etienne ont également suivi ce type de mise en réseau.

Accès à des livres trop fragiles pour être exposés

Une politique d'insertion par le multimédia

Cybercentres : pour un investissement unitaire de 500 000 F, chaque cybercentre compte 10 micros multimédias connectés en réseau à Internet. Le plateau, d'une surface utile de 100 m², est animé par deux jeunes formés spécialement et assistés par un fonctionnaire municipal.

L'appropriation déborde les grandes structures

Les petites villes sont en mesure d'offrir des services de qualité moyennant un faible investissement : la bibliothèque municipale de Lisieux propose sur son Web un choix de textes anciens et modernes, renouvelé mensuellement. L'accès à ces services par le réseau téléphonique est toutefois peu performant, ce qui a conduit quelques villes à déployer des réseaux à haut débit. L'anneau culturel de Valenciennes qui relie la médiathèque, le théâtre, le musée des beaux-arts et l'université, permet d'utiliser les moyens multimédia mis en œuvre dans chaque équipement. Dans un registre différent, Mantes-la-Jolie prépare l'ouverture d'un réseau culturel offrant aux artistes et aux créateurs amateurs un espace de communication et de diffusion de leurs œuvres.

Les technologies de l'information entrent également dans les problématiques d'insertion. Des jeunes considérés comme "irrécupérables" ont pu retrouver un travail grâce à Internet et à une formation au multimédia. Internet fascine, apporte une valorisation et une reconnaissance qui renforce la capacité d'écoute et d'apprentissage des jeunes ainsi qu'une ouverture vers les autres. Certaines villes développent des politiques d'éveil par le multimédia (Montbéliard), d'autres s'intéressent également aux perspectives de création d'emploi (Saint-Quentin-en-Yvelines, Mantes-la-Jolie). Quant à la municipalité de Strasbourg, elle développe une véritable politique d'insertion par le multimédia. Dans les quartiers les plus déshérités, ceux de la Meinau et du Neuhof, elle mène des actions d'appropriation des technologies de l'information et se prépare à ouvrir trois cybercentres spécialisés au cœur de ces quartiers pour permettre aux jeunes sortis du circuit scolaire de se familiariser avec ces outils.

La relation à l'administration piétine

C'est peut-être dans les domaines de l'information et de la simplification administrative que les villes semblent les moins avancées. Certes, les Web municipaux fournissent des informations pratiques sur le fonctionnement administratif de la mairie (Issy-les-Moulineaux, Montigny-le-Bretonneux, Athis-Mons). Certes, des visio-guichets évitant au citoyen de se

déplacer pour remplir certaines formalités s'installent un peu partout en France (Lorraine, Manche, Ardennes, Alsace). Mais les collectivités locales pourraient faire plus. Strasbourg va profiter de l'ouverture d'un accès Internet sur son réseau câblé pour offrir des services administratifs à distance, notamment autour des actes d'état civil (mariage, décès, divorce...). La commande des documents à remplir pourra s'effectuer en ligne en attendant que la loi permette d'aller plus loin. D'autres recherches portent également sur la diffusion de modes d'emploi sur les formalités (préfecture de l'Eure).
Le contact direct avec les services et le courrier électronique devraient à terme se développer également dans la relation citoyen-administration. La démocratie participative, en dépit d'expériences encore timides, constitue également un terrain favorable. Les expériences restent timides. Issy-les-Moulineaux a lancé l'opération la plus spectaculaire en organisant le premier conseil municipal interactif de France. Retransmis en direct sur le câble auprès de 5 000 foyers, les habitants ont pu intervenir en direct pendant les interruptions de séance. Athis-Mons organise des forums de discussion sur son serveur ; quant à Nanterre, elle ouvre également son Web à une grande consultation sur l'évolution de la ville souhaitée par les habitants.

Villes numériques : deux modèles

Au-delà d'initiatives isolées, disparates, les collectivités locales vont progressivement mettre en œuvre des politiques d'ensemble de numérisation. Le concept de ville numérique n'est pas encore très répandu en France puisque deux villes seulement sont engagées sur cette voie : Parthenay (Deux-Sèvres) qui compte moins de 10 000 habitants, et Amiens qui dépasse les 100 000 habitants. Globalement, la mise en œuvre d'un projet de ville numérique comprend trois grandes phases :

- Des études et des expérimentations.
- La création de points d'accès et de sensibilisation. Les deux communes précitées vont plus loin : elles envisagent l'achat massif de micro-ordina-

Philippe Parmantier

Philippe Parmantier, 45 ans, journaliste de formation, a dirigé des publications du groupe *Le Moniteur* et s'est spécialisé dans le secteur des collectivités locales. Aujourd'hui, il dirige la Lettre *Autoroutes de l'information et territoires*, lettre d'information bimensuelle consacrée aux nouvelles technologies de l'information appliquées aux projets locaux. Il a crée EVS Conseil, une société de conseil éditorial (presse écrite et nouvelles technologies de l'information). *(evsparme@club-internet.fr)*

État Civil

Trois grandes phases pour un projet de ville numérique

teurs qu'elles loueront à faible prix aux particuliers et aux entreprises – Parthenay est même devenu fournisseur d'accès Internet.

- La conception et la réalisation d'Intranets thématiques : Amiens prévoit d'en développer dans les domaines de la culture, de la santé, de l'économie, du tourisme et du commerce.

Ces deux démarches laissent entrevoir deux modèles de développement distincts ; d'une part la voie d'une dynamique sociale ancrée dans la culture locale (Parthenay) ; d'autre part, celle plus classique d'un schéma de numérisation donnant lieu à une politique d'achat de contenus auprès d'éditeurs professionnels pour alimenter des réseaux (Amiens). La comparaison des résultats des deux logiques, en termes de services par exemple (toutes proportions gardées entre leur contexte d'expérimentation), enrichit considérablement l'approche des collectivités locales et territoriales. Celles-ci se posent avec un sentiment d'urgence plus aigu la question du développement rapide de la société de l'information. ▪

Philippe Parmantier

1

Marly, une ville au centre du monde

Dans l'économie mondialisée, les villes seront nos seules références permanentes, nos seuls points d'ancrage. C'est dans leur ville que les gens vivront. C'est là qu'ils préserveront leur identité, viendront se ressourcer en communiant autour d'une culture locale. Le projet de François-Henri de Virieu à Marly-le-Roi est plus politique et humaniste que technologique.

La mondialisation, ce n'est pas le simple accroissement des échanges internationaux. C'est l'intégration des économies nationales. C'est le fait que des hommes et des femmes installés sur des continents différents puissent collaborer en temps réel à une même tâche industrielle. C'est le fait que l'on pourra demain acheter sans se déplacer des disques aux États-Unis, des livres en France ou des téléviseurs à Singapour. Face à cette mondialisation, qui est déjà l'horizon quotidien de dizaines de millions d'hommes, il n'y aura pas d'un côté les grandes villes ayant les moyens de s'adapter et de l'autre les petites condamnées à l'exclusion et au déclin. Ni d'un côté les villes bien situées et de l'autre les villes handicapées par la distance ou le relief. Toutes auront leur chance, à condition de faire l'effort qui les placera – quelle que soit leur situation géographique – au centre d'un réseau comme Internet, c'est-à-dire au centre du

Le marché mène désormais le monde

Enrayer le mouvement de fuite des entreprises

Mise en place des réseaux : il n'en va pas de même aux Etats-Unis. Le vice-président Al Gore s'est attaché dès 1994 à mettre en place méthodiquement les structures d'un "état numérique" (législation, règlementation, jurisprudence, données économiques et sociales non couvertes par le secret administratif).

monde. Elles auront leur chance si elles ont une population motivée, active, créatrice et animée d'une volonté politique forte d'épouser le siècle qui vient. Ce n'est plus comme jadis l'Etat qui impulse le changement. Les hommes politiques nationaux sont placés en porte-à-faux. Ils ne sont plus que de simples contre-pouvoirs dont le rôle est de pressentir, d'expliquer et de canaliser des évolutions qui pour l'essentiel leur échappent. Et cela en atténuant, autant que faire se peut, leurs effets négatifs. Car c'est "le Marché" avec un "M" majuscule qui mène désormais le monde. En jouant la carte de la cité numérique, la Ville de La Haye a déjà réussi à enrayer le mouvement de fuite de ses entreprises vers les pays à bas salaires. Mieux même, les entreprises délocalisées ont tendance à revenir. Les spécialistes d'IBM considèrent que Stuttgart a pris une telle avance dans le domaine de l'équipement numérique qu'aucune autre ville d'Europe ne pourra, dans un proche avenir, rivaliser avec elle pour attirer de nouvelles entreprises. En France nous ne pouvons plus attendre que l'Etat se décide à donner l'exemple. Les villes doivent agir et elles doivent agir maintenant dans la mise en place des réseaux. La cité numérique n'est pas seulement une nouvelle façon de faire circuler ce que Chateaubriand appelait au XIXème siècle *"l'électricité sociale"*. C'est aussi un outil qui impose un repassage préalable du tissu social un peu froissé dans lequel nous vivons et une démarche participative généralisée. C'est aussi l'outil d'une nouvelle façon de vivre, de se soigner, de se former, de se cultiver et de travailler à distance. La variété des changements introduits par le concept de cité numérique et leur ampleur impose une cohérence de l'action sur le terrain. Et cette cohérence ne peut être que l'affaire du maire.

Ne pas faire des Marlychois des "Sans-abri numériques"

Pensons à tous ceux – hélas largement majoritaires – qui n'ont pas encore pris conscience de l'ampleur de la révolution en cours. Il nous faut les alerter, leur faire comprendre que si nous ne faisons rien, ils seront fondés à reprocher demain d'avoir laissé se créer une catégorie de "sans abris numériques" tout aussi démunis face à l'existence que ceux qui, aujourd'hui, ne parviennent pas à trouver un toit pour dormir. L'égalité républicaine passe aussi par Internet. Un exemple entre cent : les logiciels de simulation qui permettront notamment de soumettre les projets municipaux au feu de la critique. En démocratie, la méthode de travail compte autant que les résultats obtenus. Un grand pas sera accompli lorsque les associations et les citoyens pourront étudier sur leurs écrans au jour et lieu de leur choix, tel ou tel projet d'urbanisme et pourront simuler et chiffrer leurs contre-propositions. Cela sera possible demain dans la cité numérique dès l'instant où chaque foyer possédera une messagerie électronique. C'est pourquoi nous considérons qu'un tel équipement individuel est la véritable clé de la réussite du projet "Marly-Cyber-le-Roi" que nous avons présenté au conseil municipal de notre ville le 23 septembre 1996.

L'égalité républicaine passe aussi par Internet

Clé de la réussite : une messagerie électronique pour chaque foyer

Une politique enracinée dans une tradition millénaire de communication

Notre conviction profonde est qu'une fois cette décision prise, ce sera à l'administration municipale qu'il appartiendra d'organiser le passage vers l'âge numérique et de réintroduire à l'échelon local la cohérence qui n'est plus maîtrisée au niveau de la Nation. Elle en a les moyens intellectuels, car elle est de bonne qualité. Elle représente la continuité, au delà des alternances politiques. A nous de créer, en accord avec la population, les chefs d'entreprises, les enseignants et les associations, les conditions de la mise en service des nouveaux outils dans le cadre d'un projet global.

La carte à puce sera la première pierre de la cité numérique de demain et du projet "Marly-Cyber-le-Roi" dont Internet constitue en quelque sorte le toit. Un toit gigantesque car le soleil ne se couche jamais sur Internet. Il n'y a sur les réseaux ni jours ouvrables ni heures d'ouverture. Les réseaux sont accessibles de nuit comme de jour. Ce projet n'est pas en rupture avec le passé prestigieux de notre cité. Nous sommes en effet les héritiers d'une tradition plus que millénaire de communication. Nous avons d'ailleurs choisi de

Les héritiers d'une tradition de communication

Le sous-préfet reçoit par e-mail *les délibérations du conseil municipal*

Expérience : l'objectif est aussi, au-delà des comptes-rendus des conseils municipaux, de faire transiter par cette même voie tous les documents tels que les permis de construire, les arrêtés en tous genres et les décisions concernant les mouvements de personnel.

partir carrément du Moyen Age pour sensibiliser au Cyber Age. C'est la raison pour laquelle nous avons décidé de donner un lustre particulier au 1 300e anniversaire de la signature d'un parchemin mentionnant pour la première fois le nom de Marly à propos d'un échange de terrains. Fini le temps où l'on ne pouvait vivre et produire que si l'on avait du terrain. Fini le temps où toute la société était organisée autour de la notion de territoire. Nous entrons dans une ère nouvelle où les réseaux électroniques auront plus d'importance que les territoires. Une ville comme la nôtre n'a d'autre recours que d'aller défricher les territoires virtuels du Cyberespace, comme les moines le faisaient, il y a 1 300 ans, des territoires de ce bas monde.

La difficile collaboration avec l'administration d'Etat

Depuis novembre 1996, le sous-préfet de Saint-Germain-en-Laye a accepté que je lui envoie par Internet les délibérations du conseil municipal. Mais pour un sous-préfet courageux, qui accepte en plus la création d'un groupe de travail pour en évaluer les résultats, combien de fonctionnaires frileux ? A peine notre expérience était-elle lancée que le ministère de l'Intérieur diffusait une circulaire enjoignant la plus grande prudence en attendant les conclusions d'un Comité interministériel. Autant dire, l'alternance politique ayant fait son œuvre le 1er juin dernier, en attendant les calendes grecques. Le résultat aujourd'hui, c'est qu'un habitant de Marly pourrait accéder à tous les documents non confidentiels produits par sa propre mairie mais qu'il ne pourrait pas obtenir des informations équivalentes de la part des services de l'Etat, c'est-à-dire qu'il ne pourrait suivre sa demande de permis de construire à partir de son envoi à la Direction départementale de l'Equipement !

Le Cyber Age ouvre des perspectives complètement nouvelles pour le fonctionnement des mairies, permettant de concilier la légitime aspiration des Marlychois à plus d'information aux heures où eux-mêmes ne travaillent plus et l'aspiration du personnel municipal au raccourcissement de la semaine de travail. Grâce à Internet, la continuité de service pourra

être assurée par la mairie comme elle l'est déjà par EDF par exemple, qui ne vous laisse jamais "en plan". Les portes de l'Hôtel de ville continueront certes à se fermer à heures fixes. Mais la "mairie hors les murs" prendra le relais avec ses logiciels d'accueil du public. Vous pourrez aussi obtenir tous les renseignements, l'extrait d'état civil qu'on vous réclame, poster vos demandes de renseignements et, quand il s'agira de services payants, régler le montant en puisant dans votre "porte-compte électronique" sans avoir besoin d'aller acheter un timbre fiscal. La délivrance de documents d'état civil sur papier filigrané se fait déjà automatiquement à la mairie de Rome grâce à des appareils installés par la société italienne Saritel.
La cité numérique, ce n'est pas seulement la refonte à échéance plus ou moins lointaine de toutes les procédures administratives. C'est aussi beaucoup de changements en perspective dans les écoles primaires. Bien sûr, rien ne remplacera jamais le contact direct entre l'instituteur et l'enfant. Rien ne dispensera jamais les élèves d'un effort personnel. Mais Internet va permettre aux connaissances, aux jeux, aux images, aux spectacles venant de l'extérieur de franchir les murs des salles de classe. Avec la possibilité de faire enfin contrepoids à l'impact de la télévision et de réduire progressivement le nombre des exclus de l'écriture.

Une mairie hors les murs

L'Hôtel de ville de Rome délivre déjà par Internet des documents d'état civil

Les ordinateurs dans les écoles ou à l'extérieur ?

Une des questions qui va se poser aux maires est de savoir s'il est opportun d'enfermer l'apprentissage de l'informatique dans les écoles primaires dont ils assument la gestion. Il arrive en effet que les instituteurs aient des comportements de propriétaires vis-à-vis de tout se qui se trouve à l'intérieur de ce qu'ils appellent leur "périmètre scolaire". La question se pose de savoir si les réseaux cybernétiques, instruments par excellence du décloisonnement, peuvent s'accommoder de tels réflexes d'exclusion. D'autant que les équipements informatiques coûteront cher. D'où l'idée de doter la ville de Marly-le-Roi d'un équipement multimédia sur le modèle du "Carré d'Eveil" conçu par la société Exe.Comm pour rece-

FRANÇOIS-HENRI DE VIRIEU

François-Henri de Virieu, 65 ans, est diplômé de l'Ecole supérieure d'agriculture d'Angers, du Centre d'études des sciences et technologies avancées et de l'Institut des Hautes études de défense nationale. Après avoir été ingénieur à l'Institut d'organisation scientifique du travail en agriculture, il est devenu journaliste : chef du service social au *Monde*, rédacteur en chef de la première chaîne de télévision, journaliste au *Nouvel Observateur*, rédacteur en chef et co-fondateur du *Matin*, directeur de l'actualité d'*Antenne 2* devenue ensuite *France 2*, il est connu du grand public pour son émission *"L'heure de vérité"*, qu'il anime de 1992 à 1996. Il est président de l'IDATE (Institut de l'audiovisuel et des télécommunications en Europe) depuis 1986 et maire de Marly-le-Roi depuis 1995.

ÉTAT CIVIL

voir l'effectif d'une classe entière ou trois sous-groupes de travail de 12 élèves et qui resterait municipal. Les parents, les membres d'associations et les travailleurs des entreprises locales auraient aussi accès à ce "Carré d'Eveil", qui serait aussi lieu de formation et "bureau de proximité" permettant le travail à distance et en réseau.

Entrer dans les galeries commerciales virtuelles de demain

Nous devons aussi penser à aménager des portes d'entrée dans les "galeries commerciales virtuelles" de demain. Il ne s'agit pas, là non plus, de science-fiction. Aux Etats-Unis, le chiffre d'affaires du commerce électronique représente plusieurs centaines de millions de dollars par mois. Un industriel, un fournisseur de téléservices ou un commerçant installé à Marly pourra vendre ses produits dans le monde entier. Vendre plus, plus vite et plus loin. Quand on sait que 30 à 60 % du prix de ce que l'on vend est absorbé par la distribution, on mesure l'ampleur de l'enjeu. Cela soulève une foule de questions auxquelles les pouvoirs publics ont commencé à réfléchir… il y a quelques semaines seulement. Parmi elles, celle des impôts. Avec la société dite de l'information, il y aura de moins en moins de matière taxable et on saura de moins en moins en quel lieu la taxer. L'expérience des Etats-Unis, de la Belgique et du Canada est là pour montrer que dès que l'on brandit la menace d'une taxe sur les modems, les entreprises répondent qu'elles iront chercher ailleurs des conditions plus favorables.
La création d'un impôt *on line*, voilà la vraie réforme fiscale que le gouvernement devrait mettre en chantier. C'est un problème qui concerne directement les villes dans la mesure où les seuls péages possibles du nouveau système devraient être installés sur leur territoire. Celles qui n'auront pas fait à temps le choix de la cité numérique risquent de se retrouver prisonnières du bon vouloir de l'Etat qui redistribuera de façon de plus en plus parcimonieuse un argent collectif de plus en plus rare.
Internet et les autres réseaux numériques peuvent devenir des instruments efficaces de lutte contre le

chômage. Il ne s'agit pas seulement d'y recourir pour faciliter la recherche d'emploi ou organiser la formation. Il s'agit de beaucoup plus que cela. Cela signifie que demain on pourra aller chercher le travail là où il sera et le ramener chez soi, de telle sorte que la richesse se forme sur notre territoire et qu'elle bénéficie à nos travailleurs à nous. Cela signifie que Marly doit se placer dès maintenant en position de pouvoir aller à l'autre bout du monde chercher la croissance des autres.

Il y aura de moins en moins de matière taxable

La vraie réforme fiscale : la création d'un impôt on line !

Un rôle à jouer dans le développement des nouveaux marchés multimédia

Une ville comme la nôtre, nichée dans la verdure à 20 km de Paris, a une carte à jouer dans le téléservice et ses métiers nouveaux. C'est pourquoi nous voulons créer à Marly des "bureaux de proximité" équipés de postes de travail informatiques. Et cela dans le but d'essayer d'endiguer le flot des hommes et des femmes qui s'engouffrent chaque matin dans Paris pour y travailler devant un équipement similaire. Ces hommes et ces femmes seraient beaucoup mieux dans le paradis marlychois que dans l'enfer parisien. Et le coût en serait inférieur pour leurs employeurs.

Enfin, notre conviction est que les collectivités territoriales et notamment les villes doivent encourager les usages sociaux des nouvelles technologies de façon à permettre l'apparition de véritables marchés de masse. En effet, il ne suffit pas à la France, si elle veut rester dans la compétition, de conforter ses positions industrielles. Il lui faut des marchés nationaux de masse pour ses produits et services. Et ils n'existeront que si nous aidons les gens – à travers l'enseignement, les services municipaux et les associations – à s'approprier les nouvelles machines à communiquer. Du point de vue de l'économie générale, freiner le développement des nouvelles techniques de communication condamnerait l'Europe – pour l'instant encore riche et puissante, quoi qu'on en dise – à perdre sa position privilégiée. Nous devons donc, chacun à notre place – dirigeants associatifs, enseignants, chefs d'entreprise et élus locaux – tout faire pour favoriser un usage intelligent, socialement utile et moralement correct des nouvelles machines à

Coût : une étude réalisée par le cabinet Booz-Allen et Hamilton estime que le retard pris par l'Europe dans le domaine des technologies de l'information lui a fait perdre un million d'emplois.

Le rôle des élus est de préparer la transition vers une société post-marchande

communiquer. Nous devons adopter une position offensive et volontariste mais en étant bien conscients que notre vision de l'avenir ne sera pas partagée par tout le monde. Le sentiment dominant actuellement est en effet que le progrès n'est plus comme naguère producteur de richesses, générateur de cohésion sociale et réducteur d'inégalités. L'air du temps est au scepticisme, voire à l'hostilité à l'égard d'un progrès qui délocalise les unités de production et engendre le chômage. Nous devons en tenir compte.

Il ne faut pas se bercer d'illusions : le travail à distance ne permettra pas à lui seul de redonner un emploi permanent et bien payé à tout le monde. Nous devons, comme le suggère l'économiste américain Jeremy Rifkin dans son livre *La Fin du travail,* nous préparer à une économie qui va supprimer l'emploi de masse dans la production et dans la distribution. Le rôle des élus comme nous est de préparer la transition vers une société "post-marchande", avec de nouvelles formes d'activité et de nouveaux modes de distribution des revenus. Le partage du travail, tel qu'il est préconisé par le nouveau ministre de l'Emploi et de la Solidarité, Martine Aubry, ne sera acceptable que si se développe, à côté du secteur marchand et du secteur public, un "tiers secteur" dans lequel les gens s'auto-organiseront en communautés assumant une proportion croissante des services dont ils ont besoin. Maintenant que l'activité marchande passe du territoire matériel à l'espace virtuel, les Etats-nations ne peuvent espérer conserver une raison d'être qu'en s'attelant à la structuration du "tiers secteur", c'est-à-dire de ces milliers de gens dispersés qui travaillent dans l'économie sociale de leurs quartiers et de leurs communautés et qui pour l'instant *« ne se considèrent pas,* ainsi que le dit Rifkin, *comme faisant partie d'une force politique potentielle importante ».* ■

François-Henri de Virieu

1

Michel Hervé

Réinventer ensemble la cité

250 associations, 150 événements culturels dans une ville de moins de 15 000 habitants : tel est le résultat d'une longue politique d'incitation et de soutien à l'initiative citoyenne. C'est dans un milieu ainsi préparé que Parthenay, dans les Deux-Sèvres, accueille la révolution numérique.

La ville est-elle un espace approprié pour l'expérimentation des nouvelles technologies de l'information et de la communication ?

Michel Hervé : Sans aucun doute. La ville est un territoire fonctionnant comme un véritable éco-système riche en multiples interactions sociales où cohabitent des gens, des activités, des fonctions diverses : il s'agit donc d'un milieu particulièrement propice à l'expérimentation grandeur nature en matière de NTIC. Nous savons en effet que les technologies, pour réussir, doivent s'enraciner dans un "humus" culturel et social et être adoptées par les citoyens, co-inventeurs des usages sociaux. Du reste, les besoins réels en matière de nouvelles technologies et donc les nouveaux services, émergent souvent là où on ne les attend pas, au confluent de plusieurs domaines d'activités.

Les petites villes aussi ?

Michel Hervé : C'est encore plus vrai pour les petites villes ! Ce sont des lieux de vie décloisonnés où l'anonymat n'existe pas (ce que certains déplorent, d'ailleurs !). Dans une cité à taille humaine comme Parthenay, il est possible d'impliquer et d'intéresser l'ensemble d'une population dans toute sa diversité et la pluralité de ses activités : travail, loisirs, vie civique, éducation, etc. Ce qui est évidemment moins facile dans une grande métropole.

Quelle sont la "philosophie" et l'originalité de votre projet ?

Michel Hervé : Il s'inscrit dans une démarche de développement local engagée depuis la fin des années 70. Dans une région rurale comme celle de Parthenay, sans identité marquée ni atouts extérieurs déterminants, notre stratégie de développement a été de miser sur la créativité et l'innovation dans tous les domaines de la vie économique, culturelle et sociale. Nous étions déjà convaincus alors que la créativité des individus et la passion de "faire des choses" peuvent être des facteurs déterminants pour créer de nouvelles sources de richesses, engendrer le développement local et faire naître la conscience partagée d'un "vivre ensemble" au sein de la cité.

Pour réussir, les technologies doivent s'enraciner dans un "humus" culturel et social

Le travail de "reliance", mission prioritaire des agents de développement municipaux

Les citoyens deviennent des producteurs d'information

Internet peut modifier en profondeur les structures organisationnelles

Comment vous y êtes-vous pris pour stimuler la "créativité des individus" au service de la vie locale ?

Michel Hervé : Notre politique a consisté à encourager l'autonomie et l'émergence de projets en aidant les citoyens à faire naître une association, une activité, une manifestation... Le rôle de la municipalité n'était pas de "faire à la place" des citoyens mais d'être plutôt des catalyseurs de l'action : en apportant une aide ou en facilitant la mise en relation des acteurs. Ce qui requiert une attention permanente, à l'écoute des initiatives, des désirs, des projets... Notre travail a également consisté à favoriser la communication interactive et ce que nous appelons la "reliance sociale". Il s'agit de susciter des relations et des échanges entre individus

– Avis à tous les cybernautes du village :
M. Dupont est en train d'entrer chez Mme Colbert !

ou groupes d'individus très différents dans leur sensibilité, leurs états ou leurs pratiques. Ce travail de "reliance" est la mission prioritaire des "agents de développement" municipaux. L'action conduite depuis seize ans a porté ses fruits. En témoigne un dynamisme social qui se repère notamment dans l'importance du tissu associatif : plus de 250 associations, dans les domaines les plus variés... Rien que pour le culturel, ce sont 150 événements qui rythment la vie locale !

L'expérience de Parthenay dans le cadre du programme européen *Digital Towns*

Un milieu déjà culturellement réceptif

Quel rôle assignez vous donc aux technologies de l'information dans votre projet ?

Michel Hervé : Je suis convaincu que les technologies de l'information peuvent modifier en profondeur les structures organisationnelles, non seulement dans le monde de l'entreprise et du travail (je suis également entrepreneur) mais, au delà, dans l'espace social et politique de la cité. Cela étant, il serait illusoire de penser que la technologie peut à elle seule créer du lien social, structurer une communauté ou engendrer des activités. Je considère les NTIC comme de puissants outils de communication, d'échange et de coopération dont les potentialités ne peuvent s'actualiser que dans un milieu déjà réceptif, socialement et culturellement. Le recours à la technique n'intervient donc pas comme une fin en soi mais dans le prolongement de ce travail dans la ville pour favoriser les communications transversales. Dans un contexte de citoyenneté active, les NTIC ne nous intéressent que dans la mesure où elles renforcent en intensité (dans l'espace local) et en extension (au niveau global) le champ de la communication interactive. Toute notre approche consiste donc à partir de ce "terreau social" déjà réceptif pour susciter une dynamique autour de la ville numérisée. C'est ainsi que l'ensemble de la population de la ville est partie prenante au projet et que les citoyens deviennent les co-créateurs de la ville numérisée, d'abord en s'appropriant les outils, ensuite en devenant des producteurs d'information, source de création de contenus et de services.

Pouvez-vous nous décrire votre projet de ville numérique et les étapes de son développement ?

Michel Hervé : L'expérience de Parthenay se situe dans le programme européen *Digital Towns.* Elle regroupe dans un même consortium quatre petites villes de l'Union (Parthenay en France, Arnedo en Espagne, Weinstadt en Allemagne et Torgau en ex-Allemagne de l'est), des industriels européens, comme Philips, Siemens-Nixdorf et France Télécom, ainsi que des chercheurs en sciences sociales. Un premier financement européen a été dégagé dans le cadre de deux sous-projets complémentaires METASA (soutenu par la DG XIII) et MIND (soutenu par la DG III). La première étape a consisté en un travail de sensibilisation et de mobilisation des acteurs. L'enquête mené dans la première phase du projet METASA aura permis à l'ensemble de la population de connaître le projet, d'en discuter, de prendre position au travers d'un questionnaire et de groupes de discussion, grâce au travail mené par une équipe de chercheurs en sciences sociales du CIEU de l'Université de Toulouse. A l'issue de la phase de recherche, les chefs de service de la municipalité se sont efforcés de maintenir un contact régulier avec les initiatives du terrain afin de continuer à stimuler l'expression des acteurs locaux et d'assurer une médiation permanente. Cela a permis d'assurer une continuité dans la prise de conscience des citoyens, de les aider à donner forme à leurs projets, d'exprimer une vision affinée des demandes de services. L'autre objectif de ce contact régulier est de préparer des partenariats professionnels, organisationnels ou logistiques (par exemple : recenser les bases de données disponibles) dans la perspective de création de contenus.

Partenariats professionnels et logistiques pour la création de contenus

La mise en place d'espaces publics d'initiation

Comment avez-vous introduit les techniques ?

Michel Hervé : Parallèlement, la collectivité a mis en place des démonstrations de plates-formes technologiques pour illustrer concrètement l'apport des NTIC et nourrir la réflexion par l'observation des comportements des citoyens face aux outils. Fin 1995 l'ouverture d'un "BBS" (*Bulletin Board System* ou "babillard" comme disent les Canadiens) a permis de créer une première "agora électronique locale" et d'expérimenter concrètement les usages de la communication *on line* (messagerie, forums, dialogue en direct) et du travail coopératif. Ce outil a connu un succès significatif (on dénombre actuellement 375 boîtes aux lettres, 36 000 connexions ont été enregistrées ce qui représente une durée de 4 664 heures, soit environ 195 jours !) Pour les uns, il est devenu un outil de travail précieux, pour les autres un moyen d'expression et une interface permettant la mise en relation directe. Première constatation, le BBS n'a pas "tué" le contact humain; au contraire il a entraîné des rencontres et des échanges improbables sans lui. Dans le cadre du projet MIND, deux autres plateformes technologiques ont été installées par Philips et Siemens-Nixdorf : un système de télé-CD-I relié à un serveur et un système de bornes d'information. Le contenu a été en grande partie développé localement, ce qui a permis à des acteurs parthenaisiens d'acquérir un savoir-faire en matière de création et de structuration de contenus multimédia. Un autre élément clef de notre dispositif réside dans la mise en place de lieux publics, les "espaces numérisés", offrant le libre accès à ces réseaux et outils multimédia, et cela gratuitement, pour éviter toute sélection par l'argent : ces espaces sont financés sur les propres fonds du district avec l'aide du département et de la région. Dans chacun de ces espaces, des animateurs aident les personnes à maîtriser les outils et à "naviguer" lors de recherches spécifiques.

Pourquoi plusieurs espaces numérisés dans une petite ville comme Parthenay ?

Michel Hervé : Parce que chacun d'eux correspond à une thématique précise et, surtout, s'intègre dans des lieux publics traditionnels existants, ce qui permet de toucher différents publics en maintenant leurs habitudes et leurs repères. Le premier a été lancé au centre social en juillet 1996 et a connu un réel succès de fréquentation (3 500 personnes pendant les six premiers mois, avec un taux de croissance de 30 % par semaine d'usagers de tous âges). Un deuxième, *Le Garage*, a ouvert ses portes fin novembre 1996 et les autres progressivement courant 1997 : un espace citoyen (à la mairie), un espace loisirs et culture (à la médiathèque), un autre à vocation touristique (à la Maison de l'archéologie), un espace santé (à l'hôpital) et un autre consacré à l'éducation et à la formation (à l'école Gutenberg).

Vous n'avez pas encore prononcé le mot "Internet" !

Michel Hervé : Non, car nous avons opté pour une démarche... Intranet ! A commencer par le serveur *In-Town-Net*, désormais accessible sur le réseau et qui se veut le miroir électronique de la ville. Une première version en a été développée par une petite entreprise de multimédia qui a quitté Paris pour s'installer à Parthenay. Il consiste à mettre en réseau les services municipaux, des entreprises, des associations et des citoyens. Sur ce serveur, le visiteur trouve pour commencer toute l'information municipale à travers des thèmes aussi différents que l'économie, le social, la culture, l'administration, etc.

Vous donnez donc la préférence au local sur le global ?

Michel Hervé : Nous pensons qu'il y a complémentarité entre la communauté électronique locale et les réseaux globaux. Les échanges dans le "cyber-espace" ne se substituent pas aux relations concrètes de proximité nouées par des citoyens, mais viennent au contraire les "ouvrir" et les enrichir.

Quels services peut-on trouver sur l'Intranet de Parthenay ?

Michel Hervé : Un annuaire de tous les habitants du district où chacun pourra introduire sa *home page* (c'est-à-dire sa propre page personnelle de présentation). Les horaires d'ouverture des différents services, un guide des démarches (à terme : la possibilité de passer des commandes de documents administratifs), des petites annonces, la consultation de bases de données (médiathèque, cadastre, POS) : bref, tout ce qui est de nature à faciliter la vie pratique. D'autre part, les forums de discussions favorisent la participation des citoyens au débat public : le leitmotiv de notre vie municipale ! Et notre exemple fait école puisque le trésor public du district ouvre un forum de discussion sur le thème de la fiscalité. Particuliers comme entreprises sont invités à utiliser le courrier électronique pour obtenir des renseignements. Pendant la période de déclaration des revenus, des employés du fisc répondront même "en ligne" aux questions des visiteurs. Dans la rubrique commerce, le supermarché local présente déjà un catalogue électronique de 3 000 produits destiné prioritairement aux personnes qui ont des difficultés à se déplacer mais aussi aux habitants des villages voisins, dans le cadre du projet Intra Villages.

"Intra Villages" ?

Michel Hervé : Il s'agit de mettre en place les services attendus des habitants des petits villages où ne subsiste bien souvent qu'un unique commerce, bar-tabac ou dépôt de gaz : l'idée est d'y installer un ordinateur connecté à l'Intranet grâce auquel les habitants peuvent passer leurs commandes. L'opération commence dans cinq villages, le supermarché prenant en charge le financement des micro-ordinateurs communicants.

Vous avez évoqué des applications dans le domaine de la santé...

Michel Hervé : Le projet *Intra Hôpitaux* vise à connecter les 1 000 employés de trois hôpitaux et, à travers l'Intranet municipal, les 200 médecins de ville ainsi que les pharmaciens, les maisons de retraite et les centres de santé. Les médecins hospitaliers, plus informés que les médecins de ville, pourront ainsi partager leurs connaissances par le courrier électronique et les forums mais, surtout, il sera possible d'effectuer une réelle gestion sociale du patient en faisant communiquer médecin traitant, assistantes sociales, service des repas à domicile, service des appareillages, aide-ménagère. L'application doit voir le jour en juin prochain.

La liste est impressionnante...

Michel Hervé : Et je devrais citer bien d'autres rubriques encore : *AgriNet* pour les agriculteurs, *Parthenay Echange Services* (PES), version parthenaisienne des Systèmes d'Echange Locaux (SEL), l'implication des agences immobilières, des agences d'intérim et des garages pour les petites annonces, des espaces de création réservés aux jeunes de la ville, la présentation des entreprises, des hôtels, des restaurants, des associations sportives et culturelles, etc. Et sans compter les innombrables usages que les Parthenaisiens sont en train de découvrir par eux-mêmes... L' *In-Town-Net* de Parthenay est en fait le regroupement de plusieurs Intranets, thématiques ou "communautaires" : non seulement un miroir électronique de la ville (il y a correspondance dans notre dispositif entre les lieux physiques – les espaces numérisés – et les espaces électroniques de l'*In-Town-Net*) mais aussi l'amplificateur des initiatives qui animent notre cité.

En dépit des facilités qu'offrent les "espaces numérisés", n'y a-t-il pas disproportion entre la richesse de ces services et le nombre de personnes en état de se connecter ?

Michel Hervé : En complément du développement de ces services, le district de Parthenay propose depuis mi-octobre 1996 un accès Internet gratuit afin que la barrière financière ne constitue pas un frein à l'utilisation des NTIC dans la vie quotidienne. La connexion se fait sur l'*In-Town-Net* de Parthenay qui propose ensuite une passerelle vers l'Internet. Ce service public était par ailleurs justifié par le fait qu'un fournisseur d'accès privé ne pouvait travailler de façon rentable sur le secteur géographique de Parthenay et sa région. Les citoyens équipés de micro-ordinateurs et de modems peuvent faire configurer leur ordinateurs gratuitement par un technicien qui dispense par ailleurs quelques conseils d'utilisation et installe les logiciels nécessaires à la navigation sur le Web, à la communication sur le BBS local, au courrier électronique.

Les terminaux d'accès sont un poste plus coûteux que les connexions...

Michel Hervé : En effet. C'est la raison pour laquelle nous avons imaginé une opération "1 000 micros" dont le principe réside dans la mise à disposition de micros-ordinateurs équipés de modems et de logiciels standard. L'objectif est de permettre aux particuliers d'avoir accès à l'*In-Town-Net* depuis leur domicile. Les ordinateurs seront mis à disposition, mais les utilisateurs devront acquitter une redevance reposant sur la connexion à l'Intranet municipal.

En vous écoutant on perçoit comme une contradiction entre votre attachement à l'initiative et à l'autonomie, et l'importance de l'intervention publique que vous incarnez...

Michel Hervé : Il est vrai que la municipalité, en tant qu'acteur public local, joue un rôle majeur dans la mise en œuvre du projet. Un fort engagement politique me paraît déterminant pour la réussite des projets de villes numérisées. Mais, à mes yeux, il ne s'agit pas tant pour l'acteur public d'imposer des choses par le haut que de jouer un rôle de catalyseur des initiatives, de mobilisateur des acteurs de terrain. Il s'agit aussi d'abaisser les seuils qui limitent l'accès des citoyens à ces nouveaux moyens des communication. Nous développons aussi des partenariats tous azimuts : avec des industriels dans notre consortium européen; avec d'autres administrations (les services fiscaux, l'hôpital, les écoles); avec des acteurs privés locaux (PME, commerces); avec les associations... Nous étudions aussi la possibilité de créer une société d'économie mixte rassemblant les grands utilisateurs informatiques de la ville et qui aurait pour fonction de faire les investissements les plus importants en termes d'infrastructures de communication et de les gérer. On peut résumer ainsi notre démarche de partenariat : mobiliser à la fois les ressorts de la créativité privée, les puissances d'innovation du "tiers secteur" et le rôle de catalyseur de l'acteur public qui accompagne le mouvement. En somme, nous adoptons une démarche de service public qui consiste à créer les conditions, matérielles, intellectuelles et culturelles de l'accès pour tous : après quoi chacun (individu ou groupe) fera ce que son projet lui inspire.

L'expérience de Parthenay est-elle transposable ? Peut-elle inspirer les candidats à la création de villes numériques ?

Michel Hervé : Oui et non. La démarche consistant à promouvoir l'expérimentation grandeur nature des usages sociaux des NTIC dans la ville me paraît parfaitement transposable et même recommandable. Mais l'un des premiers enseignements du projet METASA (qui réunit donc quatre villes européennes de taille comparable), c'est qu'il n'existe pas, donné d'avance, de modèle unique de la ville numérique européenne. Ce modèle émergera peut-être, de manière empirique, avec de multiples variantes se nourrissant de nos diversités socio-culturelles. Néanmoins ce type de projet permet des apprentissages mutuels et de féconds échanges d'expériences. ■

MICHEL HERVÉ

Michel Hervé, 51 ans, professeur associé à l'université de Paris VIII, est le fondateur et président de la société Hervé Thermique (1972), fondateur et président de l'Institut financier IDPC, président de l'ANCE. Il est maire de Parthenay depuis 1979, conseiller régional du Poitou-Charentes (1986). Il a également été député des Deux-Sèvres (1986-88) et Parlementaire européen (1989-94).

ÉTAT CIVIL

1

ANDRÉ SANTINI

« Le doyen de nos internautes a 77 ans ! »

Issy-les-Moulineaux est l'une des villes numériques les plus avancées de France. Selon son maire, André Santini, les collectivités locales comme l'État doivent s'installer sur Internet en tant qu'éditeurs de contenus et démocratiser l'accès au réseau.

Pratiquez-vous vous-même Internet ?

André Santini : Si j'ai malheureusement trop peu de temps à consacrer à Internet, il m'arrive fréquemment de demander à mes collaborateurs de me montrer les sites que l'on me conseille de voir. C'est ainsi, par exemple, que je viens de voir, sur les conseils d'un chef d'entreprise d'Issy, un serveur intitulé “Petite page de l'amateur de Havane”... Je dois dire que la lenteur du réseau a une fâcheuse tendance à m'exaspérer. J'attends avec impatience le moment où on pourra naviguer sur Internet grâce à des liaisons à haut débit !

Quelles sont, selon vous, ses avantages ?

André Santini : Le sentiment de pouvoir y trouver tout ou presque tout.

Quand j'ai appris que le président Clinton avait annoncé un vaste programme pour équiper les écoles américaines d'ordinateurs et les relier à Internet, j'ai aussitôt demandé que l'on me trouve l'intégralité de son discours. Grâce au réseau, je l'ai eu sous les yeux le jour même. Internet constitue un formidable outil d'information, d'accès au savoir et à la culture et je suis convaincu que son développement modifiera en profondeur notre vision de la société.

Trouvez-vous que la France est en retard en la matière ?

André Santini : Les chiffres parlent d'eux-mêmes : 40 % des foyers américains sont équipés d'un ordinateur, 25 % des foyers allemands, 20 % des foyers britanniques, 15 % des foyers français. Nous devons accélérer nos efforts pour permettre à notre pays d'acquérir un rang important dans ce secteur d'avenir. Le Minitel, qui équipe 7 millions de foyers français, constitue un frein véritable. Pourquoi voulez-vous que les Français investissent dans un équipement informatique coûteux et apprennent à l'utiliser alors qu'ils pensent que le Minitel est suffisant ? D'autre part, nous avons, en France, une longue tradition de rejet *a priori* des progrès techniques. Rappelez-vous cette phrase de Thiers, devant le projet de créer une gare à Paris : « *Il faudra donner les chemins de fer aux Parisiens comme un jouet, mais jamais on ne transportera un voyageur ni un bagage !* ».

Je voulais un discours de Clinton, je l'ai eu aussitôt sous les yeux

Le Minitel constitue paradoxalement un frein

"Deuxième monde" : le risque est grand de créer une société utopique

Une longue tradition française de rejet des progrès techniques

Quelle opinion avez-vous des projets de villes virtuelles comme le "Deuxième Monde" ?

André Santini : J'avoue être dubitatif face à cette expérience. S'il s'agit d'un jeu, pourquoi pas ? Tous les joueurs informatiques pilotent des avions, conquièrent le monde, bâtissent des empires politiques ou économiques, résolvent des énigmes policières ou gèrent des communes comme c'est le cas avec *Sim City*... Bref, jouent un rôle. Si, en revanche, l'idée est de doubler la société actuelle avec l'espoir de refaire le monde, la pratique me paraît dangereuse. Car, dans cette ville virtuelle, il n'y aura ni violence ni déboires, tout le monde sera beau et gentil. *Exit* les gros, les chauves, les handicapés... Le risque est grand de créer une société utopique.

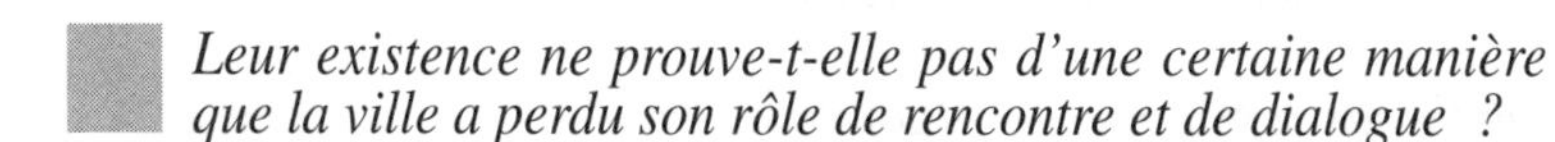

Leur existence ne prouve-t-elle pas d'une certaine manière que la ville a perdu son rôle de rencontre et de dialogue ?

André Santini : Non, parce que ce n'est pas le cas. J'ai invité, par exemple, tous les habitants d'Issy-les-Moulineaux qui m'avaient adressé un message *via* Internet à se réunir dans la salle multimédia de notre Hôtel de ville. Ils sont non seulement venus nombreux, mais ont exprimé leur intérêt pour ce type de rencontre. Depuis, nous avons créé le Club des internautes isséens. Ils peuvent ainsi proposer de nouveaux services ou de nouvelles rubriques sur notre Web, en s'exprimant sur le forum électronique de notre serveur.

Les collectivités locales doivent-elles prendre pied sur les réseaux ?

André Santini : Je crois que les collectivités locales, comme l'Etat d'ailleurs, doivent s'installer sur le réseau Internet en tant qu'éditeurs de contenus. Cela répond au besoin souvent exprimé de modernisation des services publics. Utiliser les nouvelles technologies pour offrir de nouveaux services aux habitants est prioritaire. Et je crois que, parmi nos missions d'élus, nous avons le devoir d'en démocratiser l'accès. Il s'agit probablement d'un phénomène aussi important que l'entrée dans l'ère industrielle à la fin du siècle dernier. A nous de montrer la voie, de permettre à nos concitoyens d'apprivoiser ces outils et de les utiliser pour être mieux informés et davantage associés à la vie de leur cité.

Quels exemples de services pouvez-vous nous donner ?

André Santini : Nos internautes locaux ont, par exemple, exprimé le souhait d'obtenir des documents administratifs *via* la messagerie électronique. C'est possible pour des actes de naissance ou de décès mais pas pour des fiches d'état civil, pour lesquelles la présence physique est nécessaire. J'ai donc proposé qu'ils "commandent" leur fiche en nous adressant tous les renseignements obligatoires et en annonçant l'heure de leur venue dans les locaux administratifs. A leur arrivée, la fiche aura déjà été préparée et, après vérification, elle sera entre leurs mains en quelques secondes... C'est un gain de temps et de confort pour tous. Avec Internet, et notamment le courrier électronique, il est aussi possible d'adresser un message à n'importe quel service de la mairie sans tenir compte des heures d'ouverture. Les fonctionnaires n'ont plus qu'à relever le courrier et à le traiter. Nouveau gain. A terme, l'ensemble des bases de données constituées par les délibérations du conseil municipal, les arrêtés municipaux, mais aussi les archives municipales, le catalogue de la médiathèque ou du musée seront disponibles en ligne. Nous pourrons aussi réserver directement nos places au cinéma ou dans les salles de spectacles.

Quelles autres applications envisagez-vous ?

André Santini : Le réseau Internet est un formidable outil de rayonnement économique pour les communes. Quand je traite un projet d'implantation d'une entreprise américaine, par exemple, il m'est aisé de promouvoir ma commune grâce à notre site qui contient des pages en anglais sur son tissu économique et les services que nous pouvons apporter. Je multiplie enfin les accès à Internet dans plusieurs bâtiments administratifs afin que tous puissent s'y familiariser. Je suis extrêmement attentif à éviter l'émergence d'une société à plusieurs vitesses, entre des "cyber-nantis" qui disposeraient d'un ordinateur familial et les autres.

Parmi les expériences actuellement engagées en France et dans le monde, quels exemples de "villes numériques" vous semblent intéressants et pourquoi ?

André Santini : Permettez-moi, modestement, de mettre en avant l'exemplarité d'Issy-les-Moulineaux dans ce domaine. Nous avons été les premiers à offrir dès 1995 un accès Internet à la médiathèque, avant même le centre Georges-Pompidou. Depuis le lancement de notre serveur Internet, en mai 1996, le nombre de PME-PMI locales qui se sont connectées au réseau mondial a été multiplié par six. Avec le lancement d'un Club des internautes isséens, nous avons associé, de manière dynamique, les habitants au développement de nos projets. J'ai été surpris, par exemple, du nombre de messages électroniques envoyés lors de notre dernier conseil municipal interactif : ils ont représenté 28 % du nombre total des interventions du public !

Pensez-vous que la mondialisation des communications présente des dangers spécifiques ?

André Santini : Le phénomène Internet a largement surpris les dirigeants des Etats. Il a évidemment précédé la réglementation et nous devons donc nous adapter rapidement aux menaces qui s'y font jour. Je pense évidemment à toutes les questions relatives à l'extrémisme, politique ou sexuel. Elles ne représentent pourtant qu'une infime proportion des serveurs existant sur le Web. J'ai été choqué par l'affaire du pseudo-suicide collectif de Santa Fe. Les membres de cette secte auraient utilisé Internet pour diffuser leurs funestes idées. Ce qui est surprenant, c'est que leur projet était annoncé sur leur site et que personne ne s'en est aperçu. Nous devons donc donner à la police les moyens de surveiller les serveurs de ces groupes et éviter ainsi la réalisation de tels projets.

Les réseaux ne risquent-ils pas d'accentuer la fracture entre les jeunes, réceptifs aux nouvelles technologies et les vieux, souvent réfractaires ?

André Santini : Le doyen du Club des internautes isséens a 77 ans, ce qui prouve que l'on peut naviguer sur le Web à tout âge. Il est vrai, cependant, que nous sommes confrontés à ce risque de fracture de générations. J'ai donc demandé que l'on réfléchisse sérieusement à des séances d'initiation spécialement destinées aux personnes âgées, afin de leur expliquer le maniement de l'ordinateur et de les aider à naviguer sur le réseau pour y trouver des centres d'intérêts qui leur soient propres. Si nous voulons développer l'utilisation des nouvelles technologies, nous ne devons pas nous reposer uniquement sur les plus jeunes, en attendant que leur génération arrive, dans quinze ou vingt ans, aux postes clés de la société.

Internet et le développement que l'on peut en attendre vous semblent-ils fournir des moyens idéaux pour le rééquilibrage ville-campagne ?

André Santini : Internet abolit les distances. Regardez comment une commune de la Sarthe, la Ferté-Bernard, a réussi à organiser avec succès une rencontre internationale sur les nouvelles technologies. Les invitations avaient été lancées dans le monde entier et personne n'a songé à regarder sur une carte où elle se situait. Et ça a marché ! Il s'agit donc d'une conséquence positive de l'évolution technologique, même s'il faut nous garder d'être naïfs et d'imaginer que nous avons trouvé la solution au dépeuplement de nos campagnes. Nous ne sommes cependant qu'à l'aube de la révolution technologique et per-

André Santini

Universitaire, docteur en droit, diplômé de Science Po, André Santini est depuis 1980, maire d'Issy-les-Moulineaux, dans les Hauts-de-Seine. Spécialiste de la ville et de l'économie locale, il est président d'honneur de la Fédération nationale des sociétés d'économie mixte, co-président du Forum pour la gestion des villes et des collectivités territoriales, président délégué de l'Association du conseil des communes et régions d'Europe et vice-président du Mouvement national des élus locaux. Il est également l'auteur de sept ouvrages dont *L'Etat et la presse* paru chez Litec. André Santini a été ministre délégué chargé de la Communication.

État civil

sonne n'est capable aujourd'hui de savoir ce que les prochaines années nous réservent. Mais on peut imaginer, par exemple, que des salariés effectuent, de chez eux ou d'un espace commun situé en milieu rural, des tâches pour le compte d'une entreprise située dans les Hauts-de-Seine. Les pouvoirs publics doivent bien comprendre ce que promet cette évolution et créer les environnements propices à son développement. Pourquoi ne pas généraliser en province les expériences de bureaux de voisinage qui sont menées en Ile-de-France ? Des bureaux équipés de tous les outils informatiques et reliés aux réseaux de télécommunication pourraient être créés, dans des gares par exemple, pour offrir aux habitants l'occasion de travailler pour le compte d'une entreprise située loin de chez eux, tout en conservant une vie sociale.

Les villes doivent-elles commencer à imaginer des structures adaptées au télé-travail ?

André Santini : Attention à ce qu'on entend par télé-travail. Je ne crois pas que l'on puisse généraliser le travail à partir de son domicile. Ce serait l'anéantissement des relations sociales et le renforcement de l'individualisme forcené. C'est pourquoi des structures de type bureaux de voisinage me paraissent plus adéquates, tout en sachant que le salarié doit se rendre régulièrement dans son entreprise pour s'y intégrer.

Croyez-vous que les réseaux sonnent le glas de La Poste ?

André Santini : Le développement du courrier électronique pose en effet un vrai problème aux services postaux traditionnels. Ce problème n'est pas récent : l'apparition de la télécopie ou des sociétés de distribution *express* ont déjà contribué à concurrencer sérieusement le courrier traditionnel. La Poste a montré qu'elle savait anticiper ces évolutions en diversifiant ses produits et ses services. Par ailleurs, elle est déjà présente sur Internet où elle propose de nouveaux services qui devraient se multiplier dans les prochaines années. Mais en même temps, La Poste est un lieu public incontournable, essentiel pour assurer partout la présence du service public et offrir à la population des services de base. Ce n'est pas un "avatar" qui pourra remplacer la visite du facteur dans les villages isolés. Diverses conciliations entre ces deux aspects sont possibles. Les guichets de la Poste pourraient contribuer à démocratiser les services en ligne. Pourquoi ne pas envisager, par exemple, de créer des "cyber-espaces" dans les bureaux de Poste ? ■

1

RIMBAUD dans les Ardennes

Après le point de vue des édiles, celui d'un consultant spécialisé. Après les villes, un département qui a sans doute beaucoup à gagner au désenclavement que promettent les réseaux de communication. Plaidant pour une démarche "*bottom up*", Hervé Lebec insiste sur l'enracinement des projets, à rebours de bien des discours technocratiques.

Nous avons la chance de disposer avec les NTIC d'un formidable levier pour réduire sensiblement certaines des pesanteurs liées à notre organisation sociale et politique. Dans un tel contexte, les collectivités territoriales se révèlent comme des intermédiaires prospectifs et expérimentateurs susceptibles de servir de relais entre les offreurs de technologies et de contenus multimédia et les usagers que nous sommes. L'une des premières responsabilités des collectivités territoriales et, plus généralement, des pouvoirs publics, en matière de NTIC, porte sur un accès universel aux mal

Bottom up : de bas en haut, une approche participative permettant de recueillir les attentes et les avis du terrain.

Mettre les territoires en réseau

Valoriser des infrastructures existantes sans surcoût pour la collectivité

Programme RIMBAUD : Réseau Interactif Multimédia des Bases Ardennaises Unifiées de Données. C'est la première expérience tentée à l'échelle d'un département.

nommées *autoroutes de l'information* et sur un usage facilité et simplifié grâce à un soutien réel de toutes les initiatives d'appropriation.
Il s'agit de contribuer ainsi de manière concrète à la mise en réseau des territoires. Une action complémentaire doit être menée autour des infrastructures. Un site numérique doit offrir une forte densité d'infrastructures de communication électronique sans pour cela se confondre avec des zones dédiées de type technopoles ou téléports. En effet, le site numérique inscrit sa démarche dans un contexte global d'usages et de services de proximité pour la population, par un processus de mise en réseau généralisé. Dès lors, il interpelle directement les pouvoirs publics à travers les relations administration / administrés, politique / citoyenneté, développement économique / territoire. Bien sûr, il n'est pas dit que seule la collectivité territoriale doit prendre en charge des investissements structurels. Un certain nombre d'exemples montrent qu'on peut valoriser, sans surcoût direct pour la collectivité, des infrastructures existantes, tels les réseaux câblés de télévision. On peut aussi rechercher des solutions de portage financier mixte justifié par une nécessaire synergie des initiatives privées et publiques.
Les meilleures expériences menées un peu partout en France par des collectivités territoriales ont en commun de considérer les NTIC à l'aune des nouveaux usages qu'elles permettent, des effets économiques qu'elles préparent et des transformations sociales qu'elles induisent. Les exemples ne manquent pas, du Vercors à Parthenay en passant par Marly-le-Roi, Issy-les-Moulineaux, la Creuse ou encore l'Ardèche.
Tous démontrent la volonté de certains élus et acteurs quotidiens du paysage local de s'engager concrètement. Il en va ainsi de la mise en réseau du territoire départemental des Ardennes, au travers du programme RIMBAUD, que nous développons avec l'ensemble des partenaires institutionnels et socio-économiques du département et de la région.
Le programme RIMBAUD, après une phase d'incubation pendant l'année 1995, a connu ses premières réalisations concrètes en 1996 et vient d'entrer dans une phase de déploiement qui a permis :

- de créer un centre serveur d'hébergement et d'initiation aux NTIC ;
- de lancer un bus multimédia itinérant, baptisé *le bus de la rencontre* ;
- et enfin de réaliser quatre prototypes de "PAM" (Point d'accueil multimédia) en cours d'expérimentation sur quatre sites tests jusqu'à la fin juin 1997.

Le public ardennais a suivi avec intérêt l'opération et le programme RIMBAUD a acquis une reconnaissance locale, régionale et maintenant nationale.

A ce jour, 80 % des collèges et lycées sont connectés et plus de 50 entreprises vont très prochainement présenter leur savoir-faire sur l'Internet. Des formations sont organisées régulièrement en direction du monde enseignant, des entreprises, des administrations et des maires, avec le soutien des organismes et institutions s'occupant de ces différents secteurs d'activités (CCI, CDDP, inspection académique, association des maires du département, préfecture...). Enfin, des partenariats dans le domaine culturel sont en cours. Ces résultats correspondent aux objectifs qui étaient initialement définis, à savoir :

- initier un processus d'accès aux nouvelles technologies dans une région où le contexte général ne le permettait pas *a priori* ;
- mener des opérations concrètes portant à la fois sur l'infrastructure, les services et les usages.

On pourrait se satisfaire de ces résultats mais le programme RIMBAUD est plus ambitieux et vise à créer des conditions favorables au développement de projets venant de la population elle-même, et non d'une poignée de convaincus ou d'initiés.

Cette approche "*bottom up*" nous semble la seule pertinente pour *impliquer* et non plus seulement *appliquer* comme le montre de manière exemplaire la réalisation du village numérique de Chooz.

Chooz est un village du nord du département des Ardennes situé à quelques kilomètres de la frontière belge et, mis à part les effets bénéfiques en terme de taxe professionnelle liés à la présence d'une centrale nucléaire sur son territoire, ce village connaît des problèmes similaires à nombre de communes françaises en terme d'avenir économique.

Depuis longtemps déjà, la municipalité combat l'enli-

Reconnaissance locale : dans un département où aucune infrastructure propre à exploiter l'Internet n'existait avant septembre 1996, plus de 350 adhérents au programme sont aujourd'hui connectés sur le net *et apprennent quotidiennement son maniement dans leur domaine respectif d'activité, avec le soutien de l'Association de portage ARTHUR créée pour soutenir le développement du programme.*

CDDP : Centre départemental de documentation pédagogique.

HERVÉ LEBEC

Hervé Lebec est fondateur de la société immedi@ dont la vocation est de favoriser l'usage des nouvelles technologies de l'information et de la communication.
Activités : conseil et assistance, réalisation d'études, fédération des compétences nécessaires à la réalisation de projets dans le domaine des NTIC pour les entreprises,
les collectivités territoriales et les administrations.
hlebec@immedia.fr

ÉTAT CIVIL

sement économique, source d'autres déséquilibres et recherche les alternatives possibles.

Le programme RIMBAUD tombe à point pour faire converger les objectifs des uns et des autres. Un premier diagnostic a ainsi permis de définir les principales caractéristiques du projet :
- la promotion d'une *nouvelle citoyenneté* par une mise en réseau effective de la population ;
- la création pour chaque habitant d'une adresse électronique lui permettant d'être "par défaut" relié au réseau Internet ;
- la transparence et la facilité d'accès à une information de proximité par la mise en ligne de contenus et services intéressant directement la population locale ;
- la création de lieux d'appropriation qui permettent à chacun d'utiliser concrètement et quotidiennement les outils offerts (au premier rang desquels l'adresse électronique personnelle) à des fins éducatives, culturelles ou économiques.

Cette approche vise à rendre possibles des activités qui n'étaient pas envisageables autrement ou alors marginalement et pour des populations très particulières. Il est ainsi prévu de créer un centre de numérisation ouvert à l'ensemble de la population du village, du district et ultérieurement du département, pour favoriser la numérisation des documents publics et archives privées ayant trait à la mémoire collective locale. L'objectif est de créer, pour le printemps 1998, un Festival de la Mémoire, événement culturel contribuant de surcroît à la renaissance d'une activité économique de proximité en matière de tourisme, de restauration et d'hébergement. Parallèlement des programmes spécifiques seront élaborés pour les artisans ou pour la localisation de télétravailleurs dans le village.

L'exemple du village numérique de Chooz illustre une démarche que nous croyons indispensable en matière de projets de développement par les NTIC : fonder le projet sur des éléments du contexte local qui, seuls, peuvent lui *donner du sens*. La culture et la culture technique notamment, la nature du lien social, le niveau d'équipement de la population, la

nature des activités économiques, l'initiative et le soutien politique, l'histoire aussi : tous ces éléments interviennent dans l'édification d'un modèle spécifique qui contrevient à la logique de la mondialisation / indifférenciation / intégration.
De ce point de vue, les sites numériques apparaissent bien comme des objets géographiques concrets dans le cyberespace selon les propres termes d'Emmanuel Eveno [1]. ■

Hervé Lebec

[1] *Emmanuel Eveno : chercheur Maître de Conférences à l'Université de Toulouse-le Mirail, auteur de* Pouvoirs urbains et Techniques d'Information et de Communication, *Coll. QSJ, n°3651, P.U.F., 1997, a guidé un certain nombre des points de vue exprimés ici.*

Chooz, le village numérique

Un site se construit en fonction du contexte local

1

GEORGES-YVES KERVERN

L'Association des villes numérisées

Selon l'Association des villes numérisées, l'un des points critiques de l'implantation des NTIC est l'amélioration de l'administration locale. Georges-Yves Kervern, son président, milite pour la réduction des coûts et des délais. Il se montre néanmoins réservé sur les apports de l'Internet au débat démocratique.

Pourquoi une Association des villes numérisées ?

Georges-Yves Kervern : L'AVN a été conçue au sein du *Club de l'Arche* qui milite depuis 1993 pour le bon usage des technologies de l'information dans l'économie et la société françaises. Le Club a déjà essaimé une première fois en co-fondant l'Association française pour le commerce et les échanges électroniques (AFCEE). Nous avons pensé qu'il était utile d'en faire autant pour contribuer au développement des "villes numérisées". L'objet de cette nouvelle association est triple : constituer un réseau d'information, d'échanges et de coopération au profit des collectivités locales qui souhaitent développer des services en ligne ; mettre en valeur les expériences locales les plus originales, notamment celles des petites collectivités ; et enfin, contribuer au développement des services – à caractère professionnel, social, éducatif, culturel et autres – rendus possibles par les NTIC. Cela au profit de la qualité de vie des citoyens, de l'intégration sociale, de la bonne administration et du développement économique local.

Qui sont les adhérents de l'Association ?

Georges-Yves Kervern : L'AVN vise à réunir en son sein les principaux acteurs du développement et de l'usage des services télématiques de proximité : les utilisateurs des services ; les pouvoirs publics et les acteurs privés impliqués dans l'aménagement du territoire ; les opérateurs de réseaux de télécommunications et de services en ligne ; les acteurs technologiques : concepteurs et développeurs de services, éditeurs de logiciels, spécialistes de l'ingénierie de l'information et de l'ingénierie documentaire ; les prestataires de services et les détenteurs de contenus susceptibles de nourrir ces services ; des représentants de la recherche, de l'enseignement et de la formation professionnelle et enfin les organismes de financement de l'économie.

Quelles sont selon vous les villes numérisées exemplaires ?

Georges-Yves Kervern : Il est encore un peu tôt pour établir un “palmarès” des villes numérisées, mais l'AVN souhaite également évaluer l'intérêt des expériences locales voire primer les plus réussies. Notre ambition serait de créer un véritable “*Guide du Routard*” des villes numérisées...

Réunir les acteurs du développement et de l'usage des services télématiques de proximité

Créer un véritable “Guide du Routard” des villes numérisées

La vraie difficulté réside dans l'articulation entre l'Internet et les institutions

Une nouvelle espèce de médiateurs : les “analyseurs de débats”

Selon quels critères ?

Georges-Yves Kervern : L'innovation technologique est un critère important, mais il va de soi que c'est l'adaptation aux besoins des administrés qui est déterminante. Un point critique est pour nous l'amélioration de l'administration locale. Comme disent les Américains, les réseaux et les services en ligne permettent de transférer l'administration vers les citoyens (*to bring government to citizens*) : en clair, accroître la participation des citoyens aux affaires qui les concernent et, en même temps, réduire significativement les coûts d'administration.

Pouvez vous donner un exemple ?

Georges-Yves Kervern : La question des formalités est éloquente. En permettant aux citoyens de remplir en ligne des formulaires, avec une assistance appropriée, on gagne sur trois plans : on réduit les risques d'erreur dans les retranscriptions, on permet aux intéressés de s'acquitter de leurs obligations à domicile, quand ils le veulent et on réduit les coûts d'administration.

Pensez-vous que l'Internet (ou l'Intranet et l'Extranet municipaux) peuvent contribuer à élever le débat démocratique ?

Georges-Yves Kervern : Il faut être prudent sur ce point. L'émergence d'un nouveau média n'enrichit pas nécessairement le débat politique. L'exemple de la télévision qui a fortement contribué au développement de la politique-spectacle est plutôt un... contre-exemple. Mais l'Internet, c'est évidemment autre chose. Il permet à chacun de s'informer, de prendre la parole (forums, messagerie), de débattre avec les autres sur des sujets précis avec un ordre du jour établi par les participants eux-mêmes. La vraie difficulté réside plutôt dans l'articulation entre cette nouvelle forme d'expression, très puissante, et les institutions.

Vous ne pensez-donc pas que l'Internet va rendre superflus ces "médiateurs" que sont les élus ?

Georges-Yves Kervern : Il ne serait pas raisonnable de faire un tel pronostic. En revanche, je crois que les rapports entre les citoyens et leurs représentants vont être transformés. Il est même possible que l'on voit apparaître une nouvelle espèce de médiateurs (pour reprendre votre terminologie), celle des "analyseurs de débats" qui se chargeront d'en faire la synthèse pour les représentants du peuple, sans doute trop occupés pour aller eux-même défricher les milliers de forums.

L'AVN a-t-elle une dimension européenne et internationale ?

Georges-Yves Kervern : Oui. La meilleure preuve en est le forum international organisé par la Fondation Sophia-Antipolis et la société ITEMS avec la participation de l'AVN et de la Ville de Rome et le soutien de la DG XIII de la Commission européenne sur les *Smarts Communities* (les "communautés intelligentes"), et dont le thème directeur est : *Dessiner le futur. Développement économique dans la société de l'information.* Cette manifestation se déroulera du 8 au 12 septembre 1997 à Nice - Sophia-Antipolis et à Rome.

Quel est l'objet de cette manifestation ?

Georges-Yves Kervern : C'est un forum organisé pour offrir aux personnalités et aux experts des mondes politique, institutionnel et industriel européens, américains et japonais des occasions d'échange et de discussion, en vue de favoriser la mise en place de partenariats et de nouveaux développements. Nous sommes bien là au cœur de la vocation de l'AVN. ■

GEORGES-YVES KERVERN

Après avoir occupé d'importantes fonctions chez Pechiney, Paribas et à l'UAP, Georges-Yves Kervern a fondé "Tactic", une société de téléassurance commerciale (produit Assurland) et de fourniture de logiciels de *risk management* pour les collectivités locales. Directeur général de la Fondation Sophia-Antipolis, il est le président de l'Association des villes Numérisées.

ÉTAT CIVIL

CHAPITRE 2

LES NOUVEAUX MEDIATEURS

Qui sont les nouveaux médiateurs ? Pour la plupart ce sont les intermédiaires traditionnels dont la fonction se trouve plus ou moins remise en question par l'accès direct des utilisateurs finals à l'information, à la connaissance, aux services... Des experts et des acteurs de la vie politique, sociale et intellectuelle nous donnent dans les pages suivantes quelques illustrations significatives : sur la coexistence et la fertilisation croisée des anciens et des nouveaux médias, l'importance accrue des réseaux humains dans les services financiers, les avatars de la presse ou ceux de l'éducation, l'émergence d'une administration en ligne et celle d'une nouvelle culture de l'écrit (car le courrier électronique c'est encore de *l'écrit* !). On découvrira la *médiologie*, qui s'intéresse à la transmission des idées qui agitent le monde : Internet est-il un média *idéologique* ? Claude Bourmaud nous dira comment il entend que La Poste remplisse son rôle singulier de médiateur : démocratiser l'usage des technologies au service des entreprises et des citoyens.
Et pour ne pas conclure prématurément, le fondateur de l'Irepp et son actuel président ouvrent quelques perspectives.

P.S.

2

Régis Debray

La camionnette jaune

Médiologie : le père de cette jeune discipline, Régis Debray occupe une fonction d'intermédiation très particulière, la transmission des idées ; il s'intéresse à la façon dont l'évolution des technologies de l'information et de la communication transforment cette médiation. Sur la dimension idéologique de l'Internet, il reste circonspect.

Pourriez-vous nous décrire l'objet de la médiologie ?

Régis Debray : La médiologie est une discipline qui traite des fonctions sociales supérieures (religions, art, politique, idéologie, mentalités) dans leurs rapports avec les structures de transmission, dépendantes du développement technologique (supports, réseaux, vitesses, types de traces utilisées...). On peut dire qu'elle étudie les relations entre des formes dites supérieures ou nobles de l'existence sociale avec le domaine dit inférieur ou trivial des matériaux, supports, vecteurs et canaux de transmission. Elle établit un pont entre la technique et la culture qu'on ne peut plus penser séparément.

Peut-on dire qu'il s'agit d'une nouvelle approche de la communication ?

Régis Debray : Non pas de la communication, mais bien de la *transmission* : la communication est un transport d'information dans l'espace, la transmission dans le temps.

Pouvez-vous nous donner un exemple d'étude médiologique ?

Régis Debray : Il me paraît intéressant de savoir, par exemple, comment l'Occident est devenu marxiste ou anti-marxiste, à partir du travail d'un philosophe barbu qui, de son vivant, n'a jamais réussi à vendre plus de mille exemplaires de ses bouquins !

Les Nouveaux Cahiers de l'Irepp *traitent successivement des intermédiaires du commerce puis des médiateurs de la vie sociale : faisons-nous de la médiologie sans le savoir ?*

Régis Debray : Pourquoi pas ? On pourrait objecter que la médiologie s'intéresse plus particulièrement à la transmission des *idées*, mais dès lors que la culture inclut les modes de vie, nos études respectives ne sont peut-être pas si éloignées...

Internet n' est nulle part, ce qui est la définition même de l'Utopie. Entre l'utopie rose (l'accès direct pour tous à l'information, au savoir, à l'emploi) et l'utopie sombre (la fin du réel, l'aliénation définitive dans le purement virtuel), où vous situez-vous ?

Régis Debray : Au centre, bien que ce positionnement ne me convienne guère. Je crois que les innovations font toujours à la fois mieux et moins bien qu'on ne le croit et il faut donc se montrer prudent quand on les évalue *a priori*. Et je constate que les innovations décisives (machine à vapeur, électricité, machine à calculer...) n'ont guère fait parler d'elles au moment de leur invention. L'inflation de discours sur l'Internet me conduit à estimer qu'il n'a peut-être pas la portée qu'on lui attribue.

Le développement de l'Internet vous paraît-il être néanmoins un événement sans précédent pour la transmission des idées ?

Régis Debray : Je me méfie des “événements sans précédent”. Ce qui est important a toujours un précédent. Par ailleurs, il est possible que l'Internet relève plus de la communication (dans l'espace) que de la transmission (dans le temps). Quoi qu'il en soit, l'Internet comme phénomène de masse est beaucoup trop récent pour supporter des affirmations péremptoires. Il faudra encore beaucoup de temps et de travail pour en juger.

Pensez-vous que la médiologie puisse contribuer à une transmission plus efficace de... vos propres thèses sur la médiologie ?

Régis Debray : Non, car la médiologie ne *sert* à rien. Rappelez-vous l'admonestation de la mère de Marx à son fils : *« Tu aurais mieux fait d'amasser un capital au lieu d'en écrire un »*. Les experts en sciences politiques ne font pas nécessairement des chefs d'Etat ! C'est quand on ne sait pas soi-même très bien transmettre qu'on finit par se poser le problème de la transmission.

Jean-Louis Guigou estime dans ces mêmes Cahiers *que les Etats-nations sont menacés par la double irruption du global et du local. Faites-vous la même analyse ?*

Régis Debray : Oui, je suis tout à fait d'accord. On observe une espèce d'incompatibilité entre “anciennes nations et nouveaux réseaux”. Sans tomber dans le déterminisme technologique, on ne peut nier l'influence des techniques sur les phénomènes culturels et politiques. C'est, du reste, l'objet même de la médiologie.

« C'est par [cet établissement] que se soutiennent toutes les relations civiles, morales et politiques ; c'est à la faveur de cette industrieuse circulation que s'étendent et se multiplient les progrès des Lumières... ». *Cette ambitieuse mission attribuée à la poste par une circulaire pour les Directeurs des Postes datée de 1792* [(1)] *vous paraît-elle encore d'actualité ?*

Régis Debray : Je ne prendrai pas le risque de l'affirmer sans autre forme de procès. Ce que je peux dire, c'est qu'en tant qu'acteur de la “graphospère”, je suis très attaché aux systèmes logistiques d'acheminement des livres !

On peut donc vous considérer comme un inconditionnel de la présence postale ?

Régis Debray : Oui, au point que disparition des camionnettes jaunes signifierait pour moi le commencement de la barbarie ! ■

[(1)] *citée par Catherine Bertho-Lavenir dans les* Cahiers de Médiologie *n°3.*

Régis Debray

Faut-il présenter Régis Debray ? Nous préférons utiliser cet espace pour évoquer les étapes de sa construction médiologique : du *Pouvoir intellectuel en France*, Ramsay, 1979 à *Transmettre*, Gallimard, 1997 en passant notamment par sa *Critique de la raison politique*, Gallimard, 1981 et son *Cours de médiologie générale*, 1991.
A quoi s'ajoutent désormais les *Cahiers de médiologie* (les trois premiers parus traitent du spectacle, de la route et de la nation, le prochain du papier) et une collection, *Le Champ médiologique,* chez Odile Jacob.

État Civil

2

Agacements...

Jean-Pierre Guéno n'accorde guère de crédit aux prophètes de la société de l'information. Pour lui, l'Internet et les services en ligne viennent enrichir l'univers et le système des médias et non se substituer à eux : la guerre des médias n'aura pas lieu ?

Quel point commun y a-t-il entre le Prince Charles *versus* Lady Diana, MacLuhan *versus* Gutenberg et Internet *versus* La Poste ? Celui d'un divorce homéopathique à rebondissements mille fois annoncé, mille fois constaté, mille fois commenté. Même divorcés, Charles et Lady Di resteront pourtant unis à jamais devant le grand Dieu des médias, tandis que Gutenberg, McLuhan, Internet et La Poste vivront un jour en bon ménage dans la mémoire des hommes et ne cesseront de s'extasier devant leur progéniture.

Teasing : en anglais "taquiner". En publicité, le teasing *est l'accroche par laquelle on capte l'attention du consommateur.*

En publicité comme ailleurs, nous vivons l'ère du *teasing*. Les grands communicateurs se transforment

Les prophètes de "nouvelles nouvelles"

Des caricatures de visions à la Jules Verne sans l'âme ni la dimension du capitaine Nemo

Provider : *fournisseur d'accès Internet. Prestataire de services qui offre différents types d'accès aux entreprises et aux particuliers.*

donc en média-*teasers*, en "média-diseurs". L'Ancien et le Nouveau Testament avaient leurs porteurs de bonnes ou de mauvaises nouvelles : prophètes à la barbe blanchie dont le corps avait été tanné par le soleil et la poussière des routes et des pistes des déserts qu'ils parcouraient en tous sens avec la seule aide de leur bâton de pélerin. Ils ont cédé la place aux prophètes de "nouvelles nouvelles", aux marchands de révolutions du gadget, à des providers de divorce et de renouveau copernicien qui ont tendance à vivre de l'air du temps en surfant sur les vagues du vent. Qu'ils se prétendent philosophes des temps modernes, hommes de cyber-salons, futurologues, médialogues, ils portent des caricatures de visions à la Jules Verne sans avoir ni l'âme ni la dimension du capitaine Nemo.

Ces marchands de renouveau procèdent d'une tradition presque aussi ancienne que le vent qui garde pourtant près de 4,5 milliards d'années d'avance sur l'espèce humaine. Ils ont toujours existé : ils ont dû prédire que la roue allait discréditer le pied et que les orteils de l'homme allaient s'atrophier puisqu'il n'aurait plus aucun intérêt à marcher. Ils ont dû prédire que la pierre allait supprimer le bois, que le plastique allait détrôner le métal, après avoir annoncé que l'imprimerie allait tuer la plume, la moquette le tapis, que la voiture allait supplanter la bicyclette, que le métro allait avoir la peau des transports de surface, l'informatique celle du courrier et que l'électricité ferait radicalement disparaître le gaz.

Jargon

Ils n'ont juré dans le courant des années 70 et 80 que par des mots en "tique". Ils se donnent aujourd'hui des frissons de science-fiction en mâchant des gros mots médiatiques à tous vents : Internaute, cybernaute, Internet, Intranet ; et pourquoi pas bientôt Intronet ? Ils ont une certaine tendance à redécouvrir la lune au lever du soleil et célèbrent allègrement une nouveauté créée... il y a presque 30 ans ! Ils se trahissent à leur jargon, au pourcentage d'anglicismes qu'ils profèrent à longueur de temps et aux mots charnières, aux tics verbaux qu'ils émettent pour se donner une contenance. Dans les années 70, ce sont

eux qui disaient à tout bout de champ entre deux phrases *"je veux dire"*. Dans les années 80, ils disaient *"je dirais"*. A la fin des années 90, ils en sont à *"j'allais dire"*...
Ils savent se donner de l'importance en donnant de l'importance à certains vocables. Ils sèment ainsi des tempêtes de sable et de néologismes dans les yeux ébahis des pigeons désœuvrés ou au contraire débordés par leur vie professionnelle. Ils ont l'art de pousser le gogo à céder au dernier cri de la technique pour brader aux oubliettes de la brocante d'à côté leur équipement informatique acheté à prix d'or il y a six mois. A l'heure de l'écran plat et de la miniaturisation galopante, ils feignent d'ignorer qu'ils travaillent déjà eux-mêmes depuis deux ans sur des antiquités en devenir. Que les boîtes à pizza et les caisses à savon qui leur servent de PC individuels ont l'anachronisme d'une limousine à six portes posée devant une Clio, et que sur le grand marché du renouvellement permanent, ils deviendront eux aussi les victimes du *turnover*, du gaspillage à flux tendus...
Ces *média-teasers*, ces prophètes de la dernière heure de connexion ne cessent de fourbir de nouvelles armes rédemptrices depuis 20 ans : la télématique, le câble, le multimédia. Depuis vingt ans, ils nous promettent un divorce retentissant entre le Prince Charles et la Lady Di de l'écrit : j'ai nommé Gutenberg et McLuhan, l'un et l'autre menant une politique de bras de fer et de bras d'honneur par couvertures de magazines interposées. À la clef ? Une société de cocagne où l'on raserait gratis, où le travail deviendrait anachronique, et où chaque nouveau gadget sorti des usines électroniques d'Asie ferait repousser les cheveux des chauves de l'imagination.
Ils savent pourtant bien que les différents médias sont comme les différents moyens de transport : encore plus complémentaires que concurrents. Que l'apparition de chaque nouveau moyen de communication ouvre de nouveaux horizons et régénère alors l'ensemble des média préexistants. Que l'homme devrait arrêter de succomber à la fascination de ses propres outils qui ne seront jamais que des outils. Ils savent pourtant bien qu'il y a aujourd'hui des marchands de guerre technologique et médiatique,

Victimes du gaspillage à flux tendus

Ils feignent d'ignorer qu'ils travaillent déjà eux-mêmes depuis deux ans sur des antiquités en devenir

Les noces de Gutenberg et de McLuhan

Le nombre de titres de livres publiés chaque année continue à suivre une courbe exponentielle

comme il y eut et comme il existe encore des marchands de canons.
Nous n'avons jamais cessé de vivre les noces de Gutenberg et de McLuhan, de ces deux hommes très respectables dont la petite histoire a fait des imposteurs lorsqu'elle transforma le grand éditeur qu'était le premier en inventeur de l'imprimerie à caractères mobiles pourtant mise au point en Chine quelques générations plus tôt et lorsqu'elle caricatura le second en *"Antéchrist de l'écrit-papier"*.
Quatre siècles après la mort de Gutenberg, 17 ans après celle de McLuhan, l'ordinateur individuel se porte aussi bien que le stylo à plume de luxe et le nombre de titres de livres publiés chaque année continue à suivre une courbe exponentielle. Après s'être méfiée de la télématique comme de la peste bubonique dans les années 80, la presse écrite utilise elle-même à présent les câbles des réseaux pour délocaliser des impressions régionales et fait briller ses logos sur le Web.
Après avoir cédé au terrorisme idéologique des années pré- et post-soixante-huitardes, les intellectuels savent que des formules à l'emporte-pièce (comme *« Le media est le message lui-même »* ou *« Une œuvre publiée n'appartient plus à son auteur »*) n'avaient rien à envier aux slogans actuels de la cyber-mystification.
Est-il besoin de démontrer qu'il a toujours existé un stalinisme de la pensée, que les idées à la mode sont souvent celles du troupeau, et qu'il est temps de cesser – en fonction des goûts du moment – de penser que le média est plus important que le message qu'il véhicule, que l'œuvre est plus importante que son auteur ou vice versa. Est-il besoin de démontrer que nous sommes les victimes de la pensée que nous nous préfabriquons, et qu'il a toujours existé une mode du *"mediatically correct"*, comme il a toujours existé une mode du *"politically correct"*. Est-il besoin de rappeler que l'invention humaine n'est jamais neutre, qu'elle peut toujours servir simultanément de parachute et de linceul, qu'elle ne mérite jamais ni indignation rétrograde, ni extase béate.
Sur le grand réseau, sur la grande toile du *net* – de l'anglais "filet" – ne jouons-nous pas simultanément,

ou alternativement, le rôle de la mouche et de l'araignée, le rôle de la victime et du chasseur ?
Pour échapper à cette jungle *New Age* et cathodique, il est urgent de rappeler à l'homme qu'Internet n'est qu'un outil de communication parmi d'autres et qu'il ne résume pas plus la communication que ne l'ont fait au temps de leur apparition le livre, la presse écrite, le téléphone ou la télématique. Il est urgent de lui rappeler qu'il garde le choix de ses moyens de communication et que l'on peut très bien refuser de devenir un cyber-zappeur sans pour autant faire la démonstration flagrante d'un retard mental, intellectuel ou social. Il est urgent de lui rappeler que la seule communication véritablement conviviale est la communication de proximité, celle qui met face à face ou côte à côte deux êtres humains, en *direct live* comme le disent les journalistes sportifs, sans interface d'aucune sorte, et qu'il serait paradoxal que nous en venions à mieux pouvoir communiquer avec un inconnu par écran interposé entre Vesoul et San Diego qu'avec nos proches entre la cuisine et la salle à manger de notre *home* familial.
Internet n'est que le reflet de la révolution qui fait évoluer des schémas d'organisation et de pensée centralisés et pyramidaux vers des schémas de pensée et d'organisation polycellulaires, en réseau. Il nous fait réaliser ce dont nous aurions dû prendre conscience depuis bien longtemps lorsque nous avons découvert la molécule, l'atome ou l'électron : nos organisations pyramidales et centralisées correspondent à des structures fossiles. Internet n'a fait que singer la structure de la matière en épousant une architecture en réseau. Il nous faut donc pousser un peu plus loin la démonstration qu'il symbolise : il nous faut changer progressivement de structure mentale.
Mais en prêchant la révolution de façon trop médiatique, en se créant ainsi un fond de commerce et de notoriété, les *média-teasers* déclenchent en fait des craintes et des mouvements de rejet ; ils finissent par ralentir le mouvement qu'ils étaient censés catalyser. L'outil cache alors le sens qu'il recèle, tout comme l'arbre cache la forêt. Alors, les avis sont caricaturaux et les contempteurs grincheux s'opposent aux zélateurs névrosés. Alors les vrais débats sont esca-

Un outil de communication parmi d'autres

Les **média-teasers** *finissent par ralentir le mouvement qu'ils étaient censés catalyser*

Cybercafé : l'écran et le croissant

Tout le monde se laisse hypnotiser par le vecteur, par le média, au lieu d'essayer d'analyser ce que le média transporte

motés et l'on ne sait plus trop si les État vont trouver dans Internet l'œil de Moscou dont rêvent tous les tenanciers du pouvoir ou s'ils ne vont pas se méfier d'un système qui démontre l'obsolescence de leurs structures. Alors certains décideurs prennent peur : le battage et l'abattage des *média-teasers* les effraient. Ils ne disposent pas de la visibilité qui leur serait indispensable pour mûrir leur décision. Pressentant quelque chose d'important, ils adoptent provisoirement et prudemment un langage d'attente qui doit autant à la démagogie ambiante qu'à la crainte subtile de passer pour des imbéciles.
S'ils sont alors nombreux à relayer la grande apologie du multimédia, ils sont beaucoup plus rares à pouvoir répondre aux questions fondamentales que pose Internet tant sur le plan budgétaire que sur le plan pédagogique et il n'y en a quasiment aucun qui soit capable de développer des projets de société épousant les structures en réseau suscitées par leur gadget prétendument favori.
Désorientée par la cyber-déferlante, La Poste a failli croire que la communication dématérialisée ne relevait pas de ses métiers naturels, comme elle avait failli penser la même chose lors de l'apparition de la poste aérienne. Après avoir raté le virage du fax et de la télématique, elle est en train de prendre au sérieux celui du *net*. Mais son hésitation aura été symptomatique : en matière de nouveaux moyens de communication, tout le monde se laisse hypnotiser par le vecteur, par le média, au lieu d'essayer d'analyser ce que le média transporte. La fonction de courrier ou de "boîte aux lettres" électronique aurait pourtant dû alerter l'entreprise qui reste par excellence le multispécialiste du transport de l'écrit sous toutes ses formes.
Avant de céder aux voix des sirènes de la révolution gadgétique qui ne se font entendre qu'en noyant ce qu'elles ont adoré la veille, avant de reculer devant l'innovation en rebâtissant des lignes Maginot, méditons bien le mot *cybercafé*. Il est rassurant parce qu'il a la valeur d'un mariage symbolique et paradoxal : celui de l'écran froid et du croissant croustillant, celui du langage binaire de l'informatique télécommunicante et de ce jus serré qui peut enrayer la

machine si vous le renversez sur son clavier. Il peut avoir le parfum du partage et de la convivialité.

Internet n'est pas une idole

Méfions-nous des *média-teasers* qui cherchent à nous vendre l'espace de leur propre publicité et qui font semblant d'ignorer que la société contemporaine a tendance à se lasser des médiatiseurs et à remettre en question le rôle des intermédiaires parce qu'elle a désespérément besoin de médiateurs. Méfions nous à la fois des rétrogrades et des futurogrades : ils appartiennent beaucoup plus souvent à la catégorie des hiérarques aigris ou à celle des marchands avides qu'à celle des rêveurs. Ils ont tous tendance à perdre le bon sens du plantigrade.

Nul n'a jamais cru les vrais prophètes lorsqu'ils annonçaient de bonnes nouvelles. On a toujours eu du mal à les croire lorsqu'ils en annonçaient de mauvaises. En revanche, on n'a jamais aucun mal à croire les faux prophètes : ceux qui en fait n'annoncent rien, qui n'ont rien à dire et qui n'ont aucune chance d'être crucifiés. Ceux qui sont portés par le vent et qui sèment dans les yeux des gens qui veulent bien leur servir de miroir, les paillettes stériles et rutilantes de l'illusion d'optique. Ceux qui sont paradoxalement incapables de définir la véritable valeur du trésor avec lequel ils amusent la galerie.

Internet n'est-il pas un outil de communication beaucoup trop précieux pour que nous en fassions une idole ? ■

Jean-Pierre Guéno

JEAN-PIERRE GUÉNO

Passionné de littérature, de journalisme et de manuscrits autographes, ancien élève de l'École normale supérieure de Saint-Cloud et de l'École nationale supérieure des PTT, Jean-Pierre Guéno est actuellement directeur du développement du timbre et de la philatélie. Il a dirigé pendant six ans le développement culturel de la Bibliothèque Nationale. Il est l'auteur de nombreux articles sur la communication, de livres sur Alain Fournier et sur l'histoire des stylos à plume. Il a créé la collection *La mémoire de l'encre* aux éditions Robert Laffont.

ÉTAT CIVIL

2

JEAN-MARIE COLOMBANI

Internet, une chance pour la presse écrite

Le Monde est l'un des titres de la presse française menant la politique la plus volontariste sur Internet et les internautes le lui rendent bien. Le directeur du quotidien du soir, Jean-Marie Colombani, croit à l'avenir des médias écrits sur Internet.

Le Monde *a placé son contenu éditorial en ligne depuis le 31 janvier dernier. Pourquoi ? Quelles premières conclusions en tirez-vous ?*

Jean-Marie Colombani : L'étape actuelle est indispensable pour répondre à un besoin immédiat de l'étranger et pour organiser en interne l'entreprise dans l'idée que le papier n'est pas son unique débouché. Au risque du paradoxe, j'estime qu'Internet constitue une chance pour la presse écrite. Ce nouveau support permet de s'affranchir des contraintes d'espace, de délai et de volume, inhérentes à la production sur papier et, en utilisant toutes les possibilités de l'informatique et de la numérisation, de distribuer à terme une information personnalisée et interactive. *Le Monde* est le premier quotidien dont la version intégrale est en vente au numéro sur Internet. Très bientôt, nos archives seront également en ligne – nous disposons de dix années numérisées – ce qui sera le premier maillon d'une base de données exceptionnelle sur l'actualité internationale, politique, économique, sociale et culturelle. A quoi nous sert cette expérience ? A acquérir un savoir-faire en matière d'édition électronique et à mettre en œuvre avec toutes les possibilités de l'informatique, une édition à valeur ajoutée par rapport au journal papier. La simple transposition du journal n'est qu'une étape : il faudra aller plus loin vers des produits et des services plus sophistiqués, mêlant des contenus de plusieurs sources (autres journaux, radios, sources directes...) Depuis l'an dernier, nous pratiquons déjà cette forme d'édition multimedia, avec textes, son et photos, à l'occasion d'événements comme les festivals de Cannes et d'Avignon. En matière de multimédia, il faut savoir aussi que *Le Monde* édite et co-édite des CD ROM, comme celui du texte intégral du journal depuis 1987 ou, plus grand public, *L'Histoire au jour le jour 1939-1995* qui comporte une sélection d'articles, des cartes, des photos et des enregistrements sonores. On peut ajouter également que *Le Monde* participe au service *Cadres On Line* qui regroupe les annonces d'offres d'emplois des principaux titres de la presse générale et de la presse professionnelle.

Le serveur du Monde *est le troisième site français référencé par les internautes*

L'expérience du *Guardian* qui cible les jeunes lecteurs est un succès

En mars 1997, 350 000 pages ont été lues pour 100 000 visites sur le site

L'hyper-journal : une offre éditoriale personnalisée

Quelle est la fréquentation de votre serveur Web et qui vise-t-il particulièrement ?

Jean-Marie Colombani : En mars 1997, 350 000 pages ont été lues pour 100 000 visites sur le site. Le site du *Monde* est l'un des services de presse francophones les plus consultés : le troisième site référencé par les internautes français dans leurs signets (adresses répertoriées personnellement) selon une enquête de février de Motivaction. Nous visons précisément trois catégories de publics. D'abord, nous voulons satisfaire nos lecteurs à l'étranger (60 % des connexions, 35 % pour les seuls Etats-Unis). Pour eux, il est important de pouvoir disposer partout et vite du journal tel qu'il est paru. Ensuite, nous apportons un service à ceux qui, en France ou à l'étranger, ont besoin de stocker des textes sans les ressaisir, à des fins de documentation personnelle (enseignants, étudiants, chercheurs). Nos lecteurs ont d'ailleurs un taux d'équipement en micro-ordinateurs très élevé par rapport à l'ensemble de la population française. Enfin, nous visons les jeunes générations. D'une part, les études menées aux Etats-Unis montrent que les journaux électroniques attirent de nouveaux lecteurs, d'une moyenne d'âge inférieure de 10 à 12 ans à celle des lecteurs traditionnels. D'autre part, à plus long terme, il est vraisemblable que la génération des 12 / 15 ans d'aujourd'hui considérera comme naturel de s'informer sur écran et sur un mode différent de celui qui est proposé par l'écrit papier. L'accès gratuit à la "une" et aux principaux titres et "chapôs" nous attire chaque jour de nombreux internautes.

Quelles expériences d'édition sur Internet vous semblent aujourd'hui exemplaires en France ou à l'étranger ?

Jean-Marie Colombani : Celles du *New-York Times* et du *Wall Street Journal*, par exemple : forts de leurs titres et de leur contenu, ils utilisent le multimedia pour préserver leur indépendance en créant de nouveaux produits qui renforcent leur lectorat traditionnel et drainent de nouveaux lecteurs. On peut également citer l'expérience du *Guardian* qui produit un journal électronique spécifiquement ciblé sur les jeunes lecteurs et rencontre un grand succès en Grande-Bretagne.

Que signifierait pour vous, idéalement, un hyper-journal ?

Jean-Marie Colombani : L'hyper-journal, c'est une offre éditoriale personnalisée à la fois exhaustive et pointue en fonction de la demande et des centres d'intérêt du lecteur. Quand on n'est plus limité par la taille et le poids du papier, qu'on peut circuler "transversalement" dans une masse de textes grâce aux liens hypertextes, il devient possible de créer, autour d'un sujet, des dossiers qui approfondissent une question, rafraîchissent les mémoires, offrent une multiplicité de points de vue et de portes d'accès. Un journalisme *on line* mêle le recours aux archives et l'immédiateté des réseaux. Il nous faut explorer toutes les possibilités d'utiliser ce support ; nous avons beaucoup à apprendre. Le passage d'un monoproduit de masse – un quotidien sur papier – à des multiservices personnalisés (journaux sur mesure, revues de presse automatiques, bases de données thématiques) et autres promesses du futur multimedia ne se fera pas en un jour.

L'écrit y garderait-il une place centrale ? Et quid *des journaux papier dans un monde dominé par le virtuel ?*

Jean-Marie Colombani : Il importe de préparer le futur, d'acquérir les nouveaux savoir-faire technologiques, d'utiliser dès maintenant leurs avantages propres, notamment la rapidité de transmission et les possibilités de tri. Mais il serait illusoire de penser que les journaux électroniques détrôneront les journaux existants, à court terme. Nous croyons à la pérennité de l'écrit, comme à celle du papier. Les qualités intrinsèques d'un journal imprimé sont un argument majeur (commodité et ubiquité de lecture, production de masse, plaisir du feuilletage et de la découverte de sujets...). Tout comme le savoir-faire des professionnels : le principal atout du *Monde* tient à la qualité de sa production éditoriale. Notre compétence ne réside pas dans la gestion des réseaux et des matériels mais dans la capacité à récolter, trier, organiser, hiérarchiser, expliquer une information pertinente sur l'actualité française et internationale. En toute indépendance. L'explosion des sources d'information en continu augmente d'ailleurs les besoins de médiation, de mise en perspective, d'analyses. Au final, qu'attend un lecteur ? Un compte rendu objectif, une sélection des faits, leur hiérarchisation et leur analyse... mais aussi la marque d'un regard, l'empreinte d'un point de vue. Porter cette marque sur les réseaux, caractérisés par des produits à courte durée de vie est un vrai défi... Je crois qu'une large place demeurera encore pour un support papier fort, véritable référence au quotidien.

Les journaux français doivent-ils vraiment prendre pied sur les réseaux dès aujourd'hui ?

Les journaux électroniques ne détrôneront pas les journaux imprimés

Notre compétence réside dans la capacité à récolter, organiser, hiérarchiser une information pertinente

Les journaux doivent aller sur Internet pour des raisons tant offensives que défensives

Besoin de médiation, de mise en perspective

Jean-Marie Colombani : Oui, d'abord pour des raisons offensives : Internet est une chance pour l'écrit, mode de communication le plus répandu sur le réseau. Mais également pour des raisons défensives. Avec ces nouvelles techniques, sur un marché dérèglementé, n'importe qui peut devenir éditeur, sans avoir à passer par un media traditionnel. Certains acteurs sortent de leur métier pour conquérir de nouveaux marchés dans le domaine de l'information mais surtout de la publicité. Je ne crois pas que la presse écrite soit menacée de disparition par les nouvelles technologies de l'information. Il n'existe d'ailleurs pas d'exemple de media en chassant un autre : ni la radio, ni la télévision n'ont tué la presse. En revanche, sa diffusion peut baisser. D'ici à cinq ans, la presse américaine

– Alors, Alfred, on s'amuse à lire *Le Monde* pendant le cours ?

prévoit une baisse de 14 % de sa diffusion papier. Une récente étude du cabinet Arthur Andersen situe l'incidence de l'édition électronique en Europe à l'horizon 2000 à 6 % des chiffres d'affaires globaux des éditeurs.

Les éditeurs électroniques vendront de la crédibilité, de l'immédiateté, du service

La véritable bataille se livrera le jour où Internet intègrera la télévision

A quel moment, une implantation forte sur Internet sera-t-elle déterminante ?

Jean-Marie Colombani : Pour l'instant, Internet est un marché très ciblé (clientèle surtout masculine, disposant de revenus supérieurs, consultant depuis le lieu de travail). La véritable bataille se livrera le jour où Internet sera largement accessible sur l'écran de télévision. Car Internet n'est pas comme on le croit souvent un réseau, c'est un protocole commun à tous les ordinateurs et susceptible d'emprunter indifféremment de nombreux canaux : téléphone, système interne d'entreprise, télévision par câble, satellite, fibre optique... Son développement à venir passera par de hauts débits, stimulant l'interactivité dans les domaines de l'éducation, de l'information ou des loisirs. Cette logique, poussée à ses limites, conduit au concept d'entreprise "unipersonnelle multinationale" : une personne maîtrisant ces outils est désormais susceptible de concurrencer des industries déjà implantées.

Quels sont en définitive les atouts des éditeurs traditionnels ?

Jean-Marie Colombani : Le titre (au sens d'un véritable label de qualité), le savoir-faire (le métier), la connaissance de leurs marché et de leurs lecteurs. Car que vendront les éditeurs électroniques ? De la crédibilité : la très grande diversité des sources augmentera la demande de labellisation. De l'immédiateté : passé un certain délai, l'information sera disponible gratuitement ou à un coût très faible mais une information en temps réel gardera un bon prix. Du service : segmenter et personnaliser son offre, sélectionner, recouper, synthétiser, traduire, diffuser automatiquement. La presse est bien placée pour proposer des informations vérifiées, complètes, au-delà des faits bruts et de l'immédiateté sans recul des medias en continu. Ainsi *Le Monde*, grâce à la spécialisation de ses journalistes et à la richesse de sa documentation peut proposer à la fois une sélection très pointue des informations et l'analyse en profondeur d'un événement et de son contexte. Enfin, les éditeurs auront leur lectorat lui-même comme atout. S'ils sont capables de fidéliser un public nombreux et de qualité, ils pourront vendre cette connaissance à des annonceurs en leur permettant de communiquer de façon particulièrement efficace sur le mode *one to one* qui permet de s'adresser à des micro-populations qui sont autant de micro-marchés géographiques ou thématiques de plus en plus segmentés. Le tout pour des coûts très bas grâce aux techniques de constitution de fichier et d'adressage sur le réseau. Le numérique et l'interactivité permettent de cibler jusqu'à l'individu. Les journaux, s'ils veulent préserver leur indépendance, devront également préserver leur contact direct avec leurs lecteurs, tant au plan technique que commercial.

Craignez-vous que le phénomène des réseaux n'entraîne une modification de la perception ou du comportement du citoyen ? Quels équilibres traditionnels vous semblent particulièrement menacés ?

Jean-Marie Colombani : L'échange interactif institue la *communication de masse personnalisée* au niveau mondial. Chance d'émancipation des citoyens, cette nouvelle communication peut dégénérer aussi en anarchie et en démagogie. Pour le vice-président américain Al Gore, « *les nouveaux médias ouvrent un nouveau siècle athénien de la démocratie* ». Mais ils peuvent également banaliser et du coup fragiliser la démocratie. Internet ne gomme que superficiellement inégalités sociales et différences culturelles. Néanmoins, il peut devenir vecteur de liberté. A preuve, l'opposition de Belgrade qui, sans lui, n'aurait pu efficacement diffuser ses messages. Il risque donc d'accentuer la dilution de l'Etat national. Internet peut mettre à la portée de tous des banques de données pour l'enseignement et la formation professionnelle. Ce peut être un formidable outil de partage du savoir et le moyen d'impliquer davantage de citoyens dans la politique. Mais il peut aussi constituer un danger, mis au service de la pornographie pédophile ou de l'extrémisme politique, néo-nazisme ou terrorisme. La possibilité offerte à tous d'envoyer sur le réseau des informations ou de réagir à des contenus peut développer différents types de sociétés. Ou bien nous verrons un nouvel essor des groupes d'intérêt ou du communautarisme et une segmentation renforcée de la

JEAN-MARIE COLOMBANI

Diplômé de Sciences-Po et de droit public, Jean-Marie Colombani a commencé sa carrière de journaliste dans l'audiovisuel à l'ORTF, puis à FR3. Entré au *Monde* en 1977 comme rédacteur au service politique, il en deviendra rédacteur en chef en 1990, puis directeur et enfin président du Directoire de la SA *Le Monde*. On lui doit une dizaine d'ouvrages, dont *De la France en général et de ses dirigeants en particulier*, Plon, 1996.

ÉTAT CIVIL

population (qui pourra mieux faire entendre ses différences et ses attentes). Ou bien nous verrons une ouverture vers le village global et une densité d'échanges et de contacts qui peuvent entraîner une nouvelle organisation sociale du travail et des échanges. Dans tous les cas, il y aura une plus grande difficulté pour les responsables politiques à canaliser les demandes des citoyens face à la démultiplication des émetteurs. Je rejoins Joël de Rosnay qui soulignait dans un numéro du *Monde Diplomatique*, *"l'émergence de la personne"* dans la révolution informationnelle. Les responsables politiques devront sans doute revoir leur approche de la société, face à cette diversité et cette variété, qu'ils ne pourront pas contrôler mais peut-être catalyser. Comment passer de la pratique d'une intelligence élective à celle d'une intelligence collective et, à l'extrême, planétaire ? ■

2

Jacques Lenormand

« Internet ne m'émeut pas ! »

Quand certains affirment que les services en ligne condamnent les réseaux bancaires constitués à grands frais pendant les *Trente glorieuses*, Jacques Lenormand, directeur des clientèles financières de La Poste (le plus important réseau de France), en appelle au bon sens : priorité au besoin des clients et plus précisément au triptyque client-produit-canal. Internet ? Un nouveau canal de distribution, rien de moins, rien de plus. Banque à distance ? Oui, mais *relationnelle* aussi. Réseaux techniques et réseaux humains se soutiennent mutuellement.

Pouvez-vous nous situer les services financiers de La Poste dans le paysage bancaire français ?

Jacques Lenormand : Leur première caractéristique, c'est de s'appuyer sur le réseau le plus important de France : 14 000 bureaux et 3 000 points poste chez des commerçants, ce qui fait 17 000 points de contact et nous place très loin devant le numéro 2, le Crédit Agricole (7 500 points de contact environ). Nous sommes deuxième en nombre de comptes : 44 millions pour 27 millions de clients. En termes d'encours, qui est la mesure la plus importante, nous sommes troisième derrière les Caisses d'Epargne Ecureuil et le Crédit Agricole : nous allons franchir cette année la barre des mille milliards de francs d'encours.

La Poste a-t-elle une clientèle spécifique ?

Jacques Lenormand : Non, elle en a plusieurs. Il y a celle des "mono-livrets A", souvent constituée de personnes sans autre domicile financier. Par choix ou par nécessité, le livret A, qu'ils préfèrent matérialisé, leur sert de compte-courant. Pour vous donner quelques chiffres : 55 % de nos 20 millions de livrets font à eux seuls 38 % de toutes les opérations du livret A avec seulement 0,7 % de l'encours. Cette clientèle est très typée, essentiellement concentrée dans les 500 zones urbaines dites sensibles où nous sommes d'ailleurs pratiquement le seul établissement bancaire. Ces bureaux sont littéralement pris d'assaut les jours de versement des allocations et indemnités ; la queue commence trois heures avant l'ouverture du bureau ; s'il y a une panne informatique, nous frisons l'émeute. Il faut savoir que La Poste est à peu près le seul établissement à accepter les clients sans aucune exclusion. Toute personne peut y ouvrir un livret A et un compte courant postal.

La Poste va franchir cette année la barre des mille milliards de francs d'encours

Dans les zones sensibles, s'il y a une panne informatique, nous frisons l'émeute

Un réseau de 14 000 bureaux dont 6 300 ne réalisent que 10 % du CA

La moitié des clients a plus de 50 ans

Mais vous avez aussi une clientèle importante dans les toutes petites communes ?

Jacques Lenormand : Ce qui est vrai c'est que dans 41 % des communes, nous sommes le seul intermédiaire financier. Mais ces tout petits bureaux ruraux ont quelquefois moins de deux heures d'activité par jour. Une fois sur deux, ils ne signent pas plus d'un contrat par semaine. Cela pose d'ailleurs de vrais problèmes. 6 300 bureaux ne réalisent que 10 % du chiffre d'affaires, courrier et services financiers confondus, d'où un surcoût de 4 milliards.

Donc quand on dit que La Poste est la banque des petits, voire la banque des pauvres, on confond des aspects très différents ?

Jacques Lenormand : En effet. Et surtout, on risque d'oublier les 10 millions de comptes chèques postaux et notre clientèle "classique" qui a un comportement bancaire très proche de celui des autres banques, si ce n'est une proportion plus grande de professions intermédiaires et un âge plus avancé. La moitié de nos clients a plus de 50 ans. Pas seulement du fait de notre présence dans les zones rurales, mais surtout parce que nous n'avons pas le droit de faire de crédit à la consommation et de prêt immobilier sans épargne préalable. Jusqu'à 25 ans, notre clientèle nous est fidèle, puis elle nous quitte pour acheter l'équipement et l'emménagement. D'où un trou de clientèle entre 35 et 45 ans.

Avez-vous également des "clients idéologiques", ceux qui "n'aiment pas les banques" ?

Jacques Lenormand : Non, la formule est abusive. En revanche, plusieurs facteurs se combinent pour nous attirer une clientèle plus exigeante et plus consumériste. Notamment le dynamisme qu'on ne nous reconnaissait pas auparavant, il y a sept ou huit ans, et l'une des tarifications les plus basses. Toutes nos clientèles, mais également notre autorité de tutelle, sont atttachées à cet aspect qui fait partie de notre "mission de service public".

Comment se portent les services financiers de La Poste ?

Jacques Lenormand : Traités à égalité financière et juridique avec les banques, ils dégageraient une rémunération annuelle supplémentaire d'environ 2,5 milliards de francs. Tous les observateurs sérieux savent que nous sommes désavantagés par notre statut, qu'il y a distorsion de concurrence aux dépens de La Poste.

Et comment se porte le système bancaire dans son ensemble ?

Jacques Lenormand : Un diagnostic global ne signifie pas grand-chose. Certaines banques se portent très bien. Voyez le Crédit Agricole : 140 milliards de fonds propres, plus de 7 milliards de résultat après impôts, 40 milliards de cash disponible (de quoi acquérir Indosuez pour 11 milliards sans grand souci). Les Caisses d'Epargne, le Crédit Mutuel, la Société générale se portent bien aussi. D'autres vont fort mal et certaines sont dans une situation un peu intermédaire. On peut dire que les banques qui réussissent sont celles qui ont adopté une stratégie claire et stable : le Crédit Agricole, l'Ecureuil, la Générale. D'autres font des allers et retours, tantôt sur le marché des capitaux, tantôt sur le marché des particuliers, se retirent, reviennent, et leurs résultats en pâtissent.

Peut-on dire que les banques souffrent du coût excessif de leurs réseaux ?

Jacques Lenormand : A mon sens, elles souffrent plutôt d'une insuffisante rentabilité dans l'emploi de leurs actifs. Les banques se livrent un combat farouche sur les prêts immobiliers. Alors que les O.A.T. (la référence) tournent autour d'un taux de 5,80 %, certaines prêtent aux particuliers pendant 15 ans à taux fixe à 6,10 %, soit une marge de 0,30 alors que 0,60 est une norme minimale de rentabilité. Cela fait des années que cela dure. Celles qui s'en sortent très bien sont celles qui ont des coûts de ressources extrêmement bas, qui font baisser globalement le rendement des actifs des autres banques et conduisent leurs concurrents à la péréquation "latérale" et "temporale". Latérale signifiant se rattraper sur les autres produits ; "temporale" remettre la rentabilité à demain. En fait, la qualité de gestion des banques n'a pas grand chose à voir avec leurs éventuelles difficultés : si l'on rapporte leurs frais généraux (essentiellement : la rémunération de leur personnel) à leurs actifs, on s'aperçoit qu'elles ont de bons ratios par rapport aux banques étrangères.

Les banques qui réussissent ont des stratégies claires et stables

Les banques françaises souffrent d'une faible rentabilité de leurs actifs

Certaines banques tracent des cercles de 500 km autour de Bruxelles, Madrid, Milan

La Poste a une stratégie de marque de distributeur

L'arrivée de l'euro va-t-elle bouleverser cette donne générale ?

Jacques Lenormand : Ce qu'on ne dit pas assez, c'est qu'il oblige les banques à des investissements à un mauvais moment : à savoir le passage à l'an 2000. On sous-estime le coût de franchissement du siècle dans les chaînes informatiques bancaires ! L'euro conduit à tenir deux comptabilités et à permettre les conversions. L'an 2000 conduit à réviser tous les programmes. Par exemple pour La Poste : 30 000 programmes, avec l'obligation pour chacun d'eux de savoir comment les dates ont été gérées. Cela fait beaucoup d'échéances, sans même parler du passage d'une informatique de production à une informatique commerciale, pour ceux qui ne l'ont pas encore fait. Ces investissements informatiques s'accumulent et vont conduire à une sélection, un certain nombre de fusions, de rapprochements, ou de recours à l'infogérance. De la même manière que Renault, Peugeot-Citroën fabriquent en commun leurs blocs-moteurs, vous allez vraisemblablement assister à une mise en commun de certaines charges de gestion. Le mouvement a commencé. Nous-mêmes à La Poste avons pris un certain nombre d'options : ainsi, nous avons confié la gestion de 800 000 de nos comptes-titres à la CCBP (Caisse Centrale des Banques Populaires) dont nous représentons 50 % du chiffre d'affaires. Nous co-fabriquons beaucoup de nos produits avec d'autres banques, ce qui ne se sait pas beaucoup. Par exemple, nos fonds communs de créance sont fabriqués par Indosuez, nos comptes à terme par la Société Générale, certains fonds communs de placement par le Crédit Commercial de France. On peut dire, dans une certaine mesure, que nous avons une stratégie de marque de distributeur et nous savons nous associer quand il faut avec ceux qui ont les compétences nécessaires.

Mais que va changer l'euro en lui-même ?

Jacques Lenormand : Le premier effet vraisemblable, c'est la fin du "ni-ni" actuel : ni facturation des chèques, ni rémunération des dépôts à vue, que nous sommes d'ailleurs le seul pays à pratiquer dans l'Union européenne. En 1999, comme le prévoit le traité de Maastricht, il n'y aura ni obligation, ni interdiction d'ouvrir des comptes en euros, mais comme le franc ne sera plus qu'une sous-division de l'euro, les comptes en francs pourront être rémunérés. En conséquence, il sera possible d'opérer une antisélection sur les clients par une politique de facturation segmentée : généreuse à l'égard des clients qui ont des soldes importants ; drastique à l'égard des petits comptes ayant beaucoup de mouvements. Cela incitera les gens à partir. La Poste risque de se trouver submergée par des mouvements dont elle n'aura peut-être pas les moyens d'assumer la charge. La deuxième conséquence sera certainement une concurrence accrue dans les régions frontalières. Déjà, certaines banques tracent des cercles de 500 km autour de Bruxelles, Bonn, Madrid et Milan. Ce qui reconfigure les "zones de chalandise" bancaires et pose des questions essentielles pour les consommateurs. Par exemple : le marché du crédit à la consommation ne fonctionne pas de la même manière en France et en Allemagne ; un même taux effectif global exprimé en euros, donc sans risque de change, ne couvrira pas les mêmes conditions. 1 000 euros "allemands" à 5 %, seront certes plus attractifs que 1 000 euros à 5,50 % "français", mais ils n'incluront pas les frais de dossier et le remboursement par anticipation sera grevé d'une forte pénalité. Vous trouvez ici la formule : "monnaie unique sans marché unique = méthodes iniques." Je crois qu'il y aura une période transitoire assez mouvementée avant 2002 qui est la vraie date d'entrée en scène de l'euro.

Que se passera-t-il alors ?

Jacques Lenormand : Nous verrons certainement apparaître de nouveaux moyens de paiement comme le porte-monnaie électronique avec son traducteur immédiat en francs, son double affichage, ses fonctions de calcul, etc. L' "euro porte-monnaie " va être la solution pour les particuliers pour passer à l'euro. Alors, il y aura émergence de nouveaux marchés, de nouvelles méthodes commerciales, et certainement de nouveaux outils et nouveaux moyens de paiement. L'usage du porte-monnaie électronique se développera progressivement, avec une très forte croissance après 2002.

A aucun moment jusqu'ici, vous n'avez mentionné la banque sans guichet ou Internet : cela ne vous émeut pas ?

Jacques Lenormand : Non. Je ne sous-estime pas les enjeux d'Internet mais je refuse de me laisser manipuler par les modes. C'est un canal qui trouvera sa clientèle comme d'autres canaux ont trouvé la leur. Il doit représenter aujourd'hui mois de 0,50 % des transactions, alors quand vous êtes une banque avec 44 millions de comptes, 27 millions de clients, il faut raison garder. Bien sûr, on doit s'y préparer : nous allons lancer des offres Internet, offrir à nos clients, particuliers ou entreprises, l'accès à leur compte par le réseau. Mais pour moi, la priorité c'est d'équiper les bureaux de poste avec une informatique tournée vers le client, performante, dotée de solides bases de données clients, de forces de vente spécialisées, de produits adaptés. La banalisation du

Internet est un canal qui trouvera sa clientèle comme d'autres canaux l'ont fait

A la fois banque McDo et banque Tour d'Argent

« Monnaie unique sans marché unique = méthodes iniques »

Le porte-monnaie électronique : une forte croissance après 2002

livret A pourrait m'émouvoir ; le fait que La Poste ne puisse pas gérer ses fonds elle-même m'émeut. Mais Internet pas plus que d'autres évolutions que j'intègre. Ce n'est pas l'outil qui fait la stratégie, c'est le besoin du client. Et le besoin de mes clients ne me dit pas "Internet" mais "conseil, fiabilité, pas d'attente dans les bureaux ". Il faut savoir se fixer des priorités. Si vous regardez les services des banques sur Internet, vous vous rendrez compte que ce ne sont souvent que des vitrines. Enfin, je crois beaucoup plus, à terme, à l'Intranet ou à l'Extranet : c'est là qu'il y a des marchés importants, notamment avec les entreprises.

Vous ne croyez donc pas à un développement fort et rapide de la banque en ligne sur l'Internet ?

Jacques Lenormand : Je crois surtout à l'équation client-offre-canal : pour tel client, il faut tel produit et tel canal de distribution. Internet est un canal correspondant à un type de client et un type d'offre. Ce canal viendra s'ajouter à ceux qui existent, il n'y aura pas substitution mais accumulation. Je suis adepte du multicanal de distribution car être monocanal vous oblige à être monoclientèle ou à vous situer sur des niches, sur des segments. La Poste vise une clientèle large ; elle offre des "services achetés" et des "services vendus" ; elle doit être à la fois la banque McDo et la banque Tour d'argent. Dans une même journée, le client peut être consommateur de l'une et de l'autre. Vous avez des produits banalisés et des produits complexes qui requièrent du conseil, une approche globale, des connaissances spécialisées. Pour les premiers, le client veut les consommer tout seul, s'il peut le faire par correspondance, Minitel ou Internet, il est ravi. Mais prenons l'achat immobilier : savez-vous que les Français ne font ce genre d'opération que 1,17 fois dans leur vie ? Et pour des sommes dépassant souvent 20 à 30 fois leur salaire mensuel ! Ils ont besoin d'un conseil rassurant. C'est pourquoi nous formons des conseillers spécialisés en patrimoine et en immobilier. Opposer banque à distance, en ligne, et réseaux humains est du reste une absurdité, car savez-vous ce que le client demande le plus aujourd'hui : la combinaison des deux, la banque à distance *relationnelle* ! La Poste est bien placée à cet égard, avec 8 000 collaborateurs répartis sur 22 centres territorialisés. Et nous offrons ce service de banque relationnelle 12 heures par jour ouvrable et le samedi matin.

Et le commerce électronique ?

Jacques Lenormand : Pour La Poste, c'est plus qu'un marché, c'est un positionnement stratégique, celui de tiers de confiance. La synergie entre le courrier et les services financiers, par exemple entre l'échange de données informatiques (E.D.I.) et le contre-remboursement, doit nous valoir une position de leader dans ce secteur. Notre offre sera disponible d'ici à la fin de l'année .

Le commerce électronique pour La Poste : un positionnement plus qu'un marché

Être un acteur important dans la gestion des comptes clients et fournisseurs

La Poste a-t-elle des ambitions dans le monde des entreprises et des professionnels ?

Jacques Lenormand : Oui. Nous avons vocation à nous développer dans l'intégralité de notre champ de compétence, défini par la loi de 1990. Nous avons une stratégie de niche sur les grands comptes : c'est-à-dire 20 000 de nos 600 000 comptes de personnes morales (entreprises, intermédiaires, mutuelles, associations...). En ce moment même, nous développons une chaîne commerciale spécialisée : 120 conseillers dotés d'outils perfectionnés, répartis sur 20 centres financiers et testant notre offre auprès de clients fidèles.

Quels sont vos atouts spécifiques sur ce marché ?

Jacques Lenormand : Nous sommes les mieux placés aujourd'hui pour centraliser sur un compte pivot en J+1, voire en J des mouvements d'espèces. En fait, nous sommes le plus grand gestionnaire de flux de transactions en centralisé. Nos deux devanciers en termes de collecte ont toutes leurs transactions éclatées : sur 58 caisses régionales pour le Crédit Agricole, sur 35 pour les Caisses d'Epargne. Ce n'est pas neutre en terme d'exploitation et de technologie. Notre système est performant et il s'améliore encore grâce à des serveurs télématiques modernes que nous utilisons également pour l'E.D.I. spécialisé avec les entreprises. Beaucoup de succursalistes et de banques font appel à nos services. C'est ce même système qui nous permet d'ailleurs de faire du mandat ou de l'échange de fonds en tous points du territoire le jour-même.

Quel sera votre positionnement ?

Jacques Lenormand : Il sera complémentaire de celui des prestations bancaires existantes. Les banques financent le haut de bilan pour les investissements lourds et le bas de bilan pour la trésorerie. Il reste le milieu, la gestion des comptes clients et fournisseurs. C'est là que La Poste entend être un acteur important. Et l'on retrouve l'E.D.I. qui permet la gestion et la centralisation de trois types de flux : financier, factures, déclarations fiscales ou autres. L'idée est d'être l'intermédiaire, le *go between* entre deux entreprises, leurs banques, l'administration et d'opérer les échanges de flux financiers, d'information, de factures, commandes, déclarations. C'est un produit qui sera disponible fin 1997.

Internet sera-t-il intégré dans cette offre ?

Jacques Lenormand : Oui. Nous sommes en train de développer des plateformes d'accès. ■

Jacques Lenormand

Jacques Lenormand, 50 ans, a débuté son parcours à l'Éducation nationale, avant de se diriger vers le monde bancaire (banque Monod Le Hénin et banque Vernes).
Il entre en 1978 à la Caisse nationale du Crédit Agricole pour être inspecteur général, directeur de la communication et directeur central. Il devient directeur général adjoint et directeur des clientèles financières de La Poste en 1991. Il occupe aujourd'hui les fonctions de directeur général adjoint, directeur du réseau grand public et directeur des services financiers.

État Civil

2

L'Universel n'est plus total

L'universel est né avec la culture de l'écrit où il se conjugue avec la totalité. Dans la cyberculture, l'universalité ne régresse pas, bien au contraire : le cyberespace nous fait participer plus intensément à l'humanité vivante. Mais en même temps, la cyberculture rend caduc le projet d'établir une fois pour toutes une signification unique. Le philosophe Pierre Lévy nous décrit la genèse et les traits saillants de cet universel sans totalité.

Chaque minute qui passe, de nouvelles personnes s'abonnent à Internet, de nouveaux ordinateurs s'interconnectent, de nouvelles informations sont injectées dans le Réseau. Plus le cyberespace s'étend, plus il devient *universel*, moins le monde informationnel devient totalisable. L'Universel de la cyberculture est aussi dépourvu de centre que de ligne directrice. Il est vide, sans contenu particulier. Ou plutôt, il les accepte tous puisqu'il se contente de mettre en contact un point quelconque avec n'importe quel autre, quelle que soit la charge sémantique des entités mises en relation. Je ne veux pas signifier par là que l'universalité du cyberespace est *neutre* ou sans conséquences, puisque le fait majeur du processus d'interconnexion générale a déjà

L'écriture ouvre un espace de communication inconnu des sociétés orales

Mais l'émergence du cyberespace aura sur la culture un effet aussi radical que l'eut en son temps l'invention de l'écriture

et aura plus encore à l'avenir d'immenses répercussions dans la vie économique, politique et culturelle. Cet événement transforme effectivement les conditions de la vie en société. Pourtant, il s'agit d'un universel indéterminé et qui tend même à maintenir son indétermination puisque chaque nouveau noeud du réseau des réseaux en extension constante peut devenir producteur ou émetteur d'informations nouvelles, imprévisibles et réorganiser une partie de la connectivité globale pour son propre compte.
Le cyberespace s'érige en système des systèmes mais, par ce fait même, il est aussi le système du chaos. Incarnation maximale de la transparence technique, il accueille cependant, par son irrépressible foisonnement, toutes les opacités du sens. Il dessine et redessine la figure d'un labyrinthe mobile, en extension, sans plan possible, universel, un labyrinthe auquel Dédale en personne n'aurait pas pu rêver. Cette universalité dépourvue de signification centrale, ce système du désordre, cette transparence labyrinthique, je l'appelle *l'Universel sans totalité*. Il constitue l'essence paradoxale de la cyberculture.

L'écriture statique et l'universel totalisant

Pour bien comprendre la mutation de civilisation contemporaine, il faut passer par un retour réflexif sur la première grande transformation dans l'écologie des médias : le passage des cultures orales aux cultures de l'écriture. L'émergence du cyberespace aura probablement – a même déjà aujourd'hui – sur la pragmatique des communications un effet aussi radical que l'eut en son temps l'invention de l'écriture.
Dans les sociétés orales, les messages linguistiques étaient toujours reçus dans le temps et le lieu où ils étaient émis. Emetteurs et récepteurs partageaient une identique situation et, la plupart du temps, un semblable univers de signification. Les acteurs de la communication plongeaient dans le même bain sémantique, dans le même contexte, dans le même flux vivant d'interaction.
L'écriture a ouvert un espace de communication inconnu des sociétés orales, dans lequel il devenait possible de prendre connaissance de messages produits par des personnes situées à des milliers de kilo-

mètres, ou mortes depuis des siècles, ou bien s'exprimant depuis d'énormes distances culturelles ou sociales. Désormais, les acteurs de la communication ne partageaient plus nécessairement la même situation, ils n'étaient plus en interaction directe.
Subsistant hors de leurs conditions d'émission et de réception, les messages écrits se tiennent *hors contexte*. Ce *hors contexte* – qui ne relève d'abord que de l'écologie des médias et de la pragmatique de la communication – a été légitimé, sublimé, intériorisé par la culture. Il deviendra le noyau d'une certaine rationalité et mènera finalement à la notion d'universalité.
Il est difficile de comprendre un message quand il est séparé de son contexte vivant de production. C'est pourquoi, du côté de la réception, on inventa les arts de l'interprétation, de la traduction, toute une technologie linguistique (grammaires, dictionnaires...). Du côté de l'émission, on s'efforça de composer des messages qui soient capables de circuler partout, indépendants de leurs conditions de production, qui contiennent autant que possible en eux-mêmes leurs clés d'interprétation, ou leur "raison". A cet effort pratique correspond l'Idée de l'Universel. En principe, il n'est pas besoin de faire appel à un témoignage vivant, à une autorité extérieure, à des habitudes ou à des éléments d'un environnement culturel particulier pour comprendre et admettre les propositions énoncées dans *Les Eléments* d'Euclide. Ce texte comprend en lui-même les définitions et les axiomes à partir desquels découlent nécessairement les théorèmes. *Les Eléments* sont un des meilleurs exemples du type de message autosuffisant, auto-explicatif, enveloppant ses propres raisons, qui serait sans pertinence dans une société orale.
La philosophie et la science classiques, chacune à sa manière, visent l'universalité. Je fais l'hypothèse que c'est parce qu'elles ne peuvent être séparées du dispositif de communication instauré par l'écrit. Les religions *universelles* (et je ne parle pas seulement des monothéismes : pensons au Bouddhisme) sont toutes fondées sur des textes. Si je veux me convertir à l'Islam, je peux le faire à Paris, à New-York ou à la Mecque. Mais si je veux pratiquer la religion Bororo (à supposer que ce projet ait un sens) je n'ai pas

L'écriture engendre des textes autosuffisants, hors contexte

La philosophie et la science classiques, chacune à sa manière, visent à l'universalité

Dans les religions monothéistes, le texte seul fonde la vérité

La volonté d'instaurer en chaque lieu le même sens engendre la prétention au tout

d'autre solution que d'aller vivre avec les Bororos. Les rites, mythes, croyances et modes de vie Bororo ne sont pas *universels* mais contextuels ou locaux. Ils ne reposent en aucune manière sur un rapport aux textes écrits. Ce constat n'implique évidemment aucun jugement de valeur ethnocentrique : un mythe Bororo appartient au patrimoine de l'humanité et peut virtuellement émouvoir n'importe quel être pensant. Par ailleurs, des religions particularistes ont aussi leurs textes : l'écriture ne détermine pas automatiquement l'universel, elle le conditionne (pas d'universalité sans écriture).

Comme les textes scientifiques ou philosophiques qui sont censés rendre raison d'eux-mêmes, contenir leurs propres fondements et porter avec eux leurs conditions d'interprétation, les grands textes des religions universalistes enveloppent par construction la source de leur autorité. En effet, l'origine de la vérité religieuse est la révélation. Or, la Torah, les Evangiles, le Coran, sont la révélation elle-même ou le récit authentique de la révélation.

Le discours ne se place plus sur le fil d'une tradition qui tient son autorité du passé, des ancêtres ou de l'évidence partagée d'une culture. Le texte seul (la révélation) fonde la vérité, échappant ainsi à tout contexte conditionnant. Grâce au régime de vérité qui s'appuie sur un texte-révélation, les religions du livre se libèrent de la dépendance à un milieu particulier et deviennent universelles.

Dans l'universel fondé par l'écriture, ce qui doit se maintenir inchangé par interprétations, traductions, translations, diffusions, conservations, c'est le sens. La signification du message doit être la même ici et là, aujourd'hui et naguère. Cet universel est indissociable d'une visée de clôture sémantique. Son effort de totalisation lutte contre la pluralité ouverte des contextes traversés par les messages, contre la diversité des communautés qui les font circuler. De l'invention de l'écriture s'ensuivent les exigences très spéciales de la décontextualisation des discours. Depuis cet événement, la maîtrise englobante de la signification, la prétention au "tout", la tentative d'instaurer en chaque lieu le même sens (ou, pour la science, la même exactitude) est pour nous associée à l'universel.

La cyberculture ou l'universel sans totalité

L'événement culturel majeur annoncé par l'émergence du cyberespace est le débrayage entre ces deux opérateurs sociaux ou machines abstraites (bien plus que des concepts!) que sont l'universalité et la totalisation. La cause en est simple : le cyberespace dissout la pragmatique de communication qui, depuis l'invention de l'écriture, avait conjoint l'universel et la totalité. Il nous ramène, en effet, à la situation d'avant l'écriture – mais à une autre échelle et sur une autre orbite – dans la mesure où l'interconnexion et le dynamisme en temps réel des mémoires en ligne font de nouveau partager le même contexte, le même immense hypertexte vivant aux partenaires de la communication. Quel que soit le message abordé, il est connecté à d'autres messages, à des commentaires, à des gloses en évolution constante, aux personnes qui s'y intéressent, aux forums où l'on en débat ici et maintenant. N'importe quel texte est le fragment qui s'ignore peut-être de l'hypertexte mouvant qui l'enveloppe, le connecte à d'autres textes et sert de médiateur ou de milieu à une communication réciproque, interactive, ininterrompue. Sous le régime classique de l'écriture, le lecteur est condamné à réactualiser le contexte à grand frais, ou bien à s'en remettre au travail des Eglises, des institutions ou des Ecoles, acharnées à ressusciter et boucler le sens. Or, aujourd'hui, techniquement, du fait de l'imminente mise en réseau de toutes les machines de la planète, il n'y a quasiment plus de messages *hors contexte*, séparés d'une communauté active. Virtuellement, tous les messages sont plongés dans un bain communicationnel grouillant de vie, incluant les personnes elles-mêmes, dont le cyberespace apparaît progressivement comme le cœur.

La Poste, le Téléphone, la Presse, l'Edition, les Radios, les innombrables chaînes de Télévision forment désormais la frange imparfaite, les appendices partiels et tous différents d'un espace d'interconnexion ouvert, animé de communications transversales, chaotique, tourbillonnant, fractal, mû par des processus magmatiques d'intelligence collective. Certes, on ne se baigne jamais deux fois dans le même fleuve informationnel, mais la densité des liens

Retour aux origines ?

Comme dans la culture orale, le cyberespace nous fait partager le même contexte vivant, mais cette fois à l'échelle planétaire : nous baignons dans le même immense hypertexte qui s'enrichit sans cesse

L'interconnexion généralisée engendre une nouvelle forme d'universel

Un Universel qui se totalise plus par le sens (unique) mais relie par contact et interaction.

et la rapidité des circulations sont telles que les acteurs de la communication n'ont plus de difficulté majeure à partager le même contexte, même si cette situation est quelque peu glissante et souvent brouillée.
L'interconnexion généralisée, utopie minimale et moteur primaire de la croissance de l'Internet, émerge comme une forme nouvelle de l'Universel. Attention! Le processus en cours d'interconnexion mondiale réalise bel et bien une forme de l'Universel, mais ce n'est pas la même qu'avec l'écriture statique. Ici, l'Universel ne s'articule plus sur la clôture sémantique appelée par la décontextualisation, tout au contraire. Cet Universel ne totalise plus par le sens, il relie par le contact, par l'interaction générale.

L'Universel n'est pas le planétaire

On dira peut-être qu'il ne s'agit pas là proprement de l'Universel mais du planétaire, du fait géographique brut de l'extension des réseaux de transport matériel et informationnel, du constat technique de la croissance exponentielle du cyberespace. Pire encore, sous couvert d'Universel, n'est-il pas seulement question du pur et simple *global*, celui de la *globalisation* de l'économie ou des marchés financiers? Certes, ce nouvel Universel contient une forte dose de global et de planétaire, mais il ne s'y limite pas. *L' Universel par contact* est encore de l'Universel, au sens le plus profond, parce qu'il est indissociable de l'idée d'humanité. Même les plus farouches contempteurs du cyberespace rendent hommage à cette dimension lorsqu'ils regrettent, à juste titre, que le plus grand nombre en soit exclu ou que l'Afrique y ait si peu de part. Que révèle la revendication de "l'accès à tous"? Elle montre que la participation à cet espace qui relie chaque être humain à n'importe quel autre, qui peut faire communiquer les communautés entre elles et avec elles-mêmes, qui supprime les monopoles de diffusion et autorise chacun à émettre pour qui est concerné ou intéressé, cette revendication révèle, dis-je, que la participation à cet espace relève d'un droit, et que sa construction s'apparente à une sorte d'impératif moral.
En somme, la cyberculture donne forme à une nou-

– Mon cher Abdel Fattah Ben Abdallah El Sakar, c'est très gentil de m'avoir proposé de participer à cette joint-venture en Alaska.

« Plus c'est universel, moins c'est totalisable ! »

Car chaque connexion nouvelle, chaque intervention individuelle accroît l'hétérogénéité de la cyberculture tout en renforçant son universalité

velle espèce d'Universel : l'Universel sans totalité. Et, répétons-le, c'est encore d'Universel qu'il s'agit, accompagné de toutes les résonances que l'on voudra avec la philosophie des lumières, parce qu'il entretient un profond rapport avec l'idée d'humanité. En effet, le cyberespace n'engendre pas une culture de l'Universel parce qu'il est partout en fait, mais parce que sa forme ou son idée implique en droit l'ensemble des êtres humains.

Plus c'est universel, moins c'est totalisable

Par l'intermédiaire des ordinateurs et des réseaux, les gens les plus divers peuvent entrer en contact, se tenir la main tout autour du monde. Plutôt que de se construire sur l'identité du sens, le nouvel Universel s'éprouve par immersion, par contact. Nous sommes tous dans le même bain, dans le même déluge de communication. Il n'est donc plus question de clôture sémantique ou de totalisation.

Une nouvelle écologie des médias s'organise autour de l'extension du cyberespace. Je peux maintenant énoncer son paradoxe central : plus c'est universel (étendu, interconnecté, interactif), moins c'est totalisable. Chaque connexion supplémentaire ajoute encore de l'hétérogène, de nouvelles sources d'information, de nouvelles lignes de fuites, si bien que le sens global est de moins en moins lisible, de plus en plus difficile à circonscrire, à clore, à maîtriser. Cet Universel donne accès à une jouissance du mondial, à l'intelligence collective en acte de l'espèce. Il nous fait participer plus intensément à l'humanité vivante, mais sans que cela soit contradictoire, au contraire, avec la multiplication des singularités et la montée du désordre.

De nouveau : plus se concrétise ou s'actualise le nouvel Universel et moins il est totalisable. On est tenté de dire qu'il s'agit enfin du véritable Universel, parce qu'il ne se confond plus avec une dilatation de local ni avec l'exportation forcée des produits d'une culture particulière. Anarchie? Désordre? Non. Ces mots ne reflètent que la nostalgie de la clôture. Accepter de perdre une certaine forme de maîtrise, c'est se donner une chance de rencontrer le réel. Le cyberespace n'est pas désordonné, il exprime la diversité de l'humain. Qu'il faille inventer les cartes et les instruments de navigation de ce nouvel océan, voilà ce dont chacun peut convenir. Mais il n'est pas nécessaire de figer, de structurer *a priori*, de bétonner un paysage par nature fluide et varié : une excessive volonté de maîtrise ne peut avoir de prise durable sur le cyberespace. Les tentatives de fermeture deviennent pratiquement impossibles ou trop évidemment abusives.

Pourquoi inventer un " Universel sans totalité " quand nous disposons déjà du riche concept de post-modernité ? C'est qu'il ne s'agit justement pas de la même chose. La philosophie post-moderne a bien décrit l'éclatement de la totalisation. La fable du progrès linéaire et garanti n'a plus cours, ni en art, ni en politique, ni en aucun domaine. Quand il n'y a plus *un* sens de l'histoire mais une multitude de petites propositions luttant pour leur légitimité, comment organiser la cohérence des événements, où est *l'avant-garde* ? Qui est *en avance* ? Qui est *progressist*e ? En trois mots, et pour reprendre l'expression bien venue de Lyotard, la postmodernité proclame la fin des "grands récits" totalisants. La multiplicité et l'enchevêtrement radical des époques, des points de vue et des légitimités, trait distinctif du post-moderne, est d'ailleurs nettement accentuée et encouragée dans la cyberculture. Mais la philosophie post-moderne a confondu l'Universel et la totalisation. Son erreur fut de jeter le bébé de l'Universel avec l'eau sale de la totalité.

Qu'est-ce que l'Universel ? C'est la présence (virtuelle) à soi-même de l'humanité. Quant à la totalité, on peut la définir comme le rassemblement stabilisé du sens d'une pluralité (discours, situation, ensemble d'événements, système, etc.). Cette identité globale peut se boucler à l'horizon d'un processus complexe, résulter du déséquilibre dynamique de la vie, émerger des oscillations et contradictions de la pensée. Mais quelle que soit la complexité de ses modalités, la totalité reste encore sous l'horizon du même.

Or la cyberculture montre précisément qu'il existe une autre manière d'instaurer la présence virtuelle à soi de l'humanité (l'Universel) que par l'identité du sens (la totalité). ■

Pierre Lévy

Pierre Lévy

Pierre Lévy, 41 ans, philosophe, est professeur au département hypermédia de l'université Paris VII (Saint-Denis). Il est co-fondateur de la société *Trivium* qui développe et met en œuvre des logiciels inspirés par le concept d'"Arbres de connaissances". Il a notamment publié *Les technologies de l'intelligence*, collection Points au Seuil en 1993 (1ère édition, La Découverte, 1990), *L'intelligence collective*, La Découverte, 1994, *Qu'est-ce que le virtuel ?*, La Découverte, 1995. Il doit prochainement publier un rapport sur la cyberculture chez Odile Jacob.

État civil

2

L'avènement des micro-mandarins

Il y a plusieurs manières d'aborder le développement de l'Internet. Thierry Leterre s'est intéressé au phénomène dans le fil de travaux sur la raison, considérant les réseaux numériques comme des modes de rationalisation particuliers. Mais très vite, il a été fasciné par autre chose, un retour passionnant : celui de pratiques de communication liées à l'écrit, introduisant au monde des technologies nouvelles par la médiation métamorphosée des humanités.

On lit et on écrit beaucoup sur l'Internet. "Surfer" signifie lire des pages entières de texte, plus ou moins agrémentées d'image et de son. Le langage de programmation utilisé s'appelle lui-même l'*Hypertext Markup Language*. Un langage qui se fonde sur le texte, fût-il hyper, c'est très exactement le fond de la culture humaniste, pour laquelle le texte est considéré comme l'achèvement du langage... La métaphore livresque est d'ailleurs largement sollicitée sur le *net* : ainsi, on pose un "signet". Même le "dialogue" consiste à écrire en direct. Il est certes possible de "téléphoner" mais le premier contact se fait presque toujours par écrit. Enfin, le produit essentiel de l'Internet demeure le courrier électronique (*e-mail*)

Hypertext Markup Language *(HTML) : code utilisé pour créer les documents hypertextes. Les éléments du HTML déterminent la présentation visuelle de la page ainsi que les liens auxquels celle-ci renvoie.*

Une nouvelle alphabétisation numérique

Solidarité entre les nouvelles technologies et la traditionnelle culture de l'écrit et de la lecture

dont le nom indique suffisamment la fonction scripturaire. De ce constat, tirons une conséquence : en dépit d'un aspect *high tech,* les réseaux sont saturés par un type de communication longtemps considéré comme dépassé, l'écrit. L'Internet représente donc un retour à la "graphosphère", pour utiliser le concept mis au point par Régis Debray. Ce fait, évident dès que l'on utilise un ordinateur, risque de décevoir. Les thèmes (médiatiques ou savants) du "nouveau monde", de la "nouvelle intelligence", du "bouleversement radical" tendent à privilégier l'enjeu d'une coupure dans les modes de relation entre les êtres humains : les réseaux nous introduiraient dans l'inédit. Mais ce n'est pas rendre compte d'une continuité très sensible entre l'Internet et ce qui se produit "en lisant, en écrivant", pour citer, à dessein, le titre de Julien Gracq. Lorsque le président américain, Bill Clinton, compare son ambition de connexion de tout le territoire américain au développement des bibliothèques dans le pays, son discours est des plus avertis. Il rappelle la solidarité essentielle entre les nouvelles technologies et la traditionnelle culture de l'écrit et de la lecture.

Si l'on ajoute la polyvalence linguistique (la domination de l'anglais est incontestable, mais on rencontre bien d'autres langues), on se rappelle la Grande Europe du XVIIIème siècle, l'Europe éclairée des correspondances en français, mais où les personnes cultivées maniaient souvent l'italien et parfois l'anglais et, bien sûr, pour les clercs, le latin. Le fait qui demeure, c'est que nous naviguons par l'écrit dans un monde peuplé de textes et de langues, où nous ajoutons quelquefois notre contribution. Le Web, déjà preneur de textes qu'on ne publie nulle part ailleurs, est peut-être appelé à devenir l'un des grands vecteurs de diffusion du livre dans les années qui viennent.

Encore doit-on préciser : si les réseaux numériques redécouvrent les puissances de l'écrit, ce n'est pas un simple pas en arrière. C'est plutôt l'inverse : nous prenons conscience d'une performance inédite de l'écrit comme *medium* et nous travaillons à son perfectionnement.

Le premier point doit être souligné : l'écrit est efficace.

L'écrit est efficace

Le "numérique" vient encore renforcer l'efficacité et l'ergonomie natives de l'écrit

Il ne l'est pas simplement, comme on l'entend traditionnellement, pour la culture de l'esprit parce qu'il véhicule des contenus stables, réfléchis, complexes, à la différence de l'image, vecteur d'immédiateté, d'émotion et de simplification ou de la parole, marquée, comme l'audiovisuel, par l'éphémère. Ce sens demeure mais ce qui est nouveau, c'est la réintrication de l'écrit au quotidien pour des affaires banales. Les réseaux, l'Internet, les messageries véhiculent des milliards de petits mots sur les sujets les plus inédits, les plus triviaux. Prises de contact, information, rendez-vous se croisent et la fonction poétique est sans doute la plus rarement sollicitée dans ces échanges épurés. Ce dispositif fait apparaître deux sortes d'avantages qui tiennent à la substance du médium "écriture" d'une part et, d'autre part, au fait que cette écriture est "numérisée", ce qui accroît les possibilités d'utilisation du message reçu ou envoyé.

1. Actuellement, je reçois entre 50 et 60 messages par jour (la plupart provenant de listes d'abonnement qui me postent des messages concernant tel ou tel sujet). Sans le service, somme toute proche de celui qu'un répondeur téléphonique peut offrir, ces 50 messages seraient proprement ingérables. Si tel n'est pas le cas avec le courrier électronique, cela tient à ce qu'on lit en général plus vite qu'on écoute. Insistons : alors que l'écrit est souvent valorisé en termes de stabilité temporelle (les écrits restent) son avantage comparatif sur un réseau renvoie d'abord à son économie temporelle. La nature écrite de l'information rend son appréhension plus directe.

2. Mais le caractère "numérique" de cette écriture apporte aussi quelque chose d'original : les informations contextuelles gagnent en facilité de manipulation. D'abord, le sujet (il figure en tête de message et à part) ; ensuite, l'adresse de la personne dont le message provient ; enfin, le cas échéant, la liste et les adresses des personnes en copie. L'aspect pratique du système pour le destinataire est facilement compréhensible : certains correspondants sont systématiquement lus, sans référence au sujet, à l'inverse des messages provenant de listes d'abonnement. Si telle

L'enveloppe retour pré-timbrée et pré-libellée

L'écriture électronique renoue avec la pratique du billet, tel ceux qui circulaient dans les salons d'autrefois

liste de philosophie me parle d'un sujet qui m'intéresse, j'ouvre le message, sinon je l'archive ou le détruis.

Quant à l'adresse, elle permet une manipulation plus productive de l'information : nous avons tous cherché à un moment ou à un autre une adresse notée sur un papier en nous maudissant de l'avoir perdu. Dans le cas du *e-mail*, une manœuvre simple (cliquer sur un bouton) permet de faire une réponse où l'adresse du correspondant s'affiche automatiquement. Tout se passe comme si l'on recevait une lettre contenant l'enveloppe retour pré-timbrée et pré-libellée ou comme si le répondeur téléphonique codait le numéro du correspondant, de telle façon qu'il suffise d'appuyer sur un bouton pour l'avoir en ligne. Sur ce point encore, la forme numérisée permet une fonctionnalité supplémentaire. De manière générale, l'information se présente toujours avec l'index minimum permettant son repérage rapide. Elle est souvent aussi triée et classée. Ainsi, les messages des correspondants habituels parviennent dans un “dossier” spécialement préparé pour eux. On peut enfin ajouter des niveaux d'urgence pour attirer l'attention du correspondant mais cette fonction est éminemment subjective (le publicitaire qui m'envoie un courrier pourra trouver son message de première importance mais pas moi).
Possibilité supplémentaire donnée par la forme numérisée : annoter un message, procédé certainement méprisant pour une correspondance ordinaire mais très naturel par *e-mail*. Les annotations reviendront elles-mêmes annotées à leur tour. Même si le procédé a ses limites (au-delà de trois couches d'annotations, le message risque de devenir illisible), il nous introduit à une écriture hybride où le texte n'est pas simplement issu d'un des correspondants mais porte en lui-même, dans cet enchaînement de la lettre et de sa réponse, la marque d'un dialogue immisçant l'écrit dans ce qu'il était initialement incapable de porter, une forme réellement dialogique. Ainsi s'émancipe la solitude des correspondants, en un contrepoint parfois mutilé mais riche d'échanges.
A ce point, on peut souligner que l'écriture sur les

réseaux est non seulement une écriture pratique, centrée sur le quotidien, productive, mais encore libérée de contraintes temporelles et spatiales inhérentes à l'écrit classique. La correspondance suppose en général un écart dans le temps : temps de parcours de la lettre, temps de la levée et de la distribution, temps de la consultation. Ces écarts sont amenuisés jusqu'à permettre une appréhension quasi-synchrone. Le parcours est réduit à une limite temporelle incompressible. Une lettre met plusieurs semaines pour me parvenir au bout du monde ; par *e-mail*, elle ne demande que deux minutes. Le temps de la levée peut aussi s'esquiver : il est possible, lorsqu'un correspondant est "en ligne" ou simplement lorsqu'on s'est donné rendez-vous (par courrier), d'échanger en temps réel des messages.

De ce point de vue, l'écriture électronique renoue avec la pratique du billet, tels ceux qui circulaient dans les salons d'autrefois et, aujourd'hui encore, dans les classes de lycées et les universités. Contrairement à la correspondance qui signifie absence et éloignement, le billet est une forme de présence par l'écriture. De ce fait, l'espace tout autant que le temps se trouve modifié. Non pas tant, comme on en a l'intuition immédiate, parce que le courrier électronique ou les forums se jouent de l'espace (mon correspondant peut être à des milliers de kilomètres). Mais parce que, en tout point du monde, pourvu qu'il y ait un accès Internet à proximité, je peux recevoir mon courrier. De tout cybercafé, je peux continuer à faire tournoyer dans cette incessante ronde des billets et des mots, des messages et des réponses, mes propres idées, mes propres paroles, mes propres écrits.

Bien d'autres aspects mériteraient d'être soulignés : littéraires (par exemple, le rapport à l'intimité dans les messages électroniques) ; sociologiques (la difficulté pour les anciennes générations à se reconnaître dans une écriture typographique) ; techniques (la mise au point de nouveaux signes diacritiques). Revenons simplement à l'essentiel. Grâce au réseau, l'écrit nous projette dans l'avenir, conformément d'ailleurs à ce que tous les humanistes classiques ont pressenti. Pour les générations qui ont grandi depuis

Thierry Leterre

Ancien élève de l'École normale supérieure, agrégé de philosophie et docteur de l'Université de Paris Panthéon Sorbonne, Thierry Leterre enseigne à Sciences po où il a mis en place un programme de réflexion politique. Ses recherches portent sur l'histoire de la raison et le rationalisme français. Éditeur pour la collection Agora des Presses de la Cité de Brunschvicg (*Descartes et Pascal lecteurs de Montaigne*) et Lachelier, il a publié en outre plusieurs articles consacrés à la question de l'Internet.

État civil

***Forums* (newgroups) : les forums de discussions sont classés par thèmes d'intérêt. Ils permettent aux utilisateurs de laisser des messages, de lire les contributions des autres utilisateurs et d'y répondre.**

Sur Internet, nous sommes tous des micro-mandarins

Et avec les forums, la fonction d'écriture et la possibilité de publication se développent encore

les années 60, la conviction dominait que l'écriture s'effondrait dans le culte de l'image et du son, incarné par la télévision (après la radio et le téléphone). Cet effacement de la culture écrite n'aura vraisemblablement pas lieu. Et il ne s'agit pas d'un sauvetage, d'un naufrage évité de justesse. Les réseaux ont ajouté à l'écriture en lui offrant la maîtrise supplémentaire des temps courts propres aux civilisations développées, qui sont moins celles de l'éphémère, que celles des urgences multiples.
Sur les réseaux, discuter, échanger, même à propos de sujets modestes ou peu "culturels" transforme chaque intervant en "micro-mandarin" potentiel, pour lequel la communication est d'abord affaire d'écrit. J'ai beaucoup insisté sur le courrier. Il faudrait encore réfléchir à la pratique des "forums", où on laisse des messages sur un sujet précis, qui finissent pas former une toile que chacun peut consulter. Avis, conseils, réactions, invitations s'entre-échangent. Alors s'élargit la fonction d'écriture et la possibilité de sa publication. Le perfectionnement de l'écrit ne tient donc pas seulement au scripturaire mais aussi à la nature de sa diffusion. L'écrit public a longtemps été l'écrit autorisé, monopole de quelques producteurs (présumés) talentueux, que Benda appelle "les clercs" – ce n'est pas par hasard qu'on parle d'auteurs (de romans, de traités de philosophie, etc.). En rendant publique l'écriture ordinaire, l'Internet élargit ce travail entamé par l'écrit depuis l'invention de l'imprimerie et peut-être avec les mêmes incertitudes ou les mêmes équivoques sur l'émancipation non seulement des idées mais encore des hommes. ■

Thierry Leterre

2

JEAN-LOUIS DURPAIRE

Internet à l'école

Est-ce la fonction documentaire qui fera entrer Internet à l'école ? Jean-Louis Durpaire, inspecteur d'académie, auteur d'un ouvrage sur *Internet à l'école en France* en est persuadé : il milite en faveur de l'accès universel à la documentation désormais à portée de bourse et pour la prise en compte d'une formation élargie aux techniques documentaires à l'école.

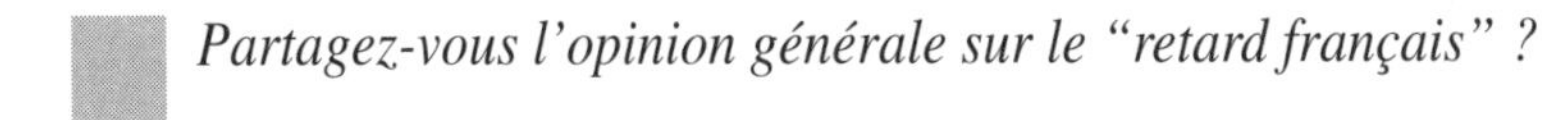

Partagez-vous l'opinion générale sur le "retard français" ?

Jean-Louis Durpaire : L'exagération de ce retard doit faire partie du pessimisme ambiant. Si vous regardez l'évolution de l'introduction de l'informatique dans le système éducatif, vous vous apercevez qu'il y a plus de 25 ans d'histoire, avec une grande progressivité et des moments d'accélération. Alors un retard ? L'informatique s'est introduite de manière assez naturelle, notamment dans l'enseignement professionnel et technologique en France qui m'apparaît ainsi en phase avec son temps. Il y a effectivement des secteurs où la pénétration est moins avancée, je pense en particulier à l'enseignement général. Mais là encore, il faut effectuer des différences entre les disciplines. En tout cas, il faut cesser de penser que les technologies nouvelles sont une mode. Internet n'est pas une mode mais la poursuite d'un développement déjà ancien.

Vous avez lancé un plaidoyer en faveur de l'Internet à l'école. Est-il un outil pégagogique ?

Internet n'est pas un outil pédagogique en tant que tel

Mais il engendre une évolution fondamentale en matière de documentation

Jean-Louis Durpaire : Internet n'est pas un outil pédagogique en tant que tel. Mais c'est un support exceptionnel. Il engendre une évolution fondamentale en matière de documentation. Rappelez-vous, il a fallu se battre pour voir le livre et les bibliothèques entrer à l'école. La reconnaissance de la qualification du documentaliste date seulement de 1989 (loi d'orientation du système éducatif) ! Et Internet amorce la "déterritorialisation" de la documentation. La pédagogie va s'appuyer sur des réseaux et des gisements d'information à la fois internes et externes. Le documentaliste ne sera plus seulement quelqu'un qui accueille des élèves dans son centre de documentation ; il va devenir celui qui aide l'ensemble des autres membres de la communauté éducative à s'approprier les technologies de la documentation.

C'est aussi un changement culturel !

Jean-Louis Durpaire : Ce deuxième point est probablement le moins visible. Le corps enseignant va pouvoir faire davantage appel aux échanges de pratiques pédagogiques. Je pense qu'Internet, par sa souplesse, peut permettre la naissance de nouveaux lieux d'échanges de savoir et de savoir-faire.

Pensez-vous que ce mouvement soit spontané ?

Jean-Louis Durpaire : Pour le moment, ce n'est pas encore le cas. Au niveau élémentaire, quelques réseaux existent déjà, en particulier celui de l'ICEM (Institut coopératif de l'école moderne). Nous ne sommes pas encore arrivés au stade d'une réelle spontanéité, peut-être notamment en raison d'un équipement individuel encore insuffisant des enseignants.

Quelles expériences menées sur le réseau vous semblent les plus prometteuses ?

Jean-Louis Durpaire : C'est une question difficile. Pour le moment, on reproduit beaucoup de choses qui existaient déjà par ailleurs. En fréquentant le Web, en particulier à l'école élémentaire, on a l'impression de pénétrer dans une classe sans la déranger. Je ne sais pas si tous les enseignants ont conscience de cette visibilité importante. Diffuser, devenir visible, cela contraint à une écriture d'une qualité particulière. C'est une autre dimension. Il y a quelque chose à creuser ici. Cela peut changer le regard que l'on porte sur l'école et sur son entreprise éducative.

Les enseignants risquent-ils de perdre leur pouvoir ?

Jean-Louis Durpaire : Nous avons lancé des expériences de classes utilisant Internet. Des classes dans lesquelles la préparation pédagogique fait appel à tous les supports : livres, CD-rom, bases de données accessibles en ligne... mais en nombre limité. Les maîtres ont mené de front l'approche pédagogique et la démarche documentaire. Ils gardent la maîtrise de leur travail : ils préparent et sélectionnent des documents, ils prévoient l'utilisation d'un ensemble d'outils dont Internet.

Pensez-vous que l'Education nationale soit prête à intégrer ces nouveaux modes d'enseignement ?

Jean-Louis Durpaire : Les évolutions des pratiques pédagogiques sont forcément lents : il faut mener en même temps la sensibilisation des maîtres aux technologies, les former, équiper les établissements, établir un dialogue avec tous les partenaires (parents, élus, etc). Mais, à terme, les écoles seront en réseau. Un exemple : le CRDP que je dirige édite à Poitiers le logiciel de gestion et de recherches documentaires le plus utilisé dans toutes les écoles, collèges et lycées. Depuis le 1er janvier dernier, nous avons pris la décision de ne plus diffuser que des versions réseau.

Internet donnera-t-il un nouveau souffle à l'enseignement à distance ?

Jean-Louis Durpaire : Oui. Il y aura un gain de temps, une plus grande rapidité d'échange. Les technologies nouvelles et pas seulement Internet apportent un renouveau. L'Education nationale est en train de repenser ses dispositifs de formation. Ainsi dans notre académie, nous nous orientons vers des actions d'autoformation avec assistance en ligne.

Quels sont selon vous les principaux freins au développement de l'éducation sur Internet ?

Jean-Louis Durpaire : Ils me semblent de deux ordres. Le premier frein est celui de l'équipement en micro-ordinateurs et modems et de l'accès à Internet. Il faut savoir que le parc des établissements d'enseignement français est

Le parc des établissements d'enseignement est d'environ 300 000 micro-ordinateurs

Pour réussir : la conviction et l'adhésion des enseignants

d'environ 300 000 micro-ordinateurs. Mais de quelle génération, nous ne le savons pas. Le deuxième frein est celui de l'organisation : l'informatisation ne conduit pas à une diminution des effectifs enseignants et à une automatisation de leurs tâches, en revanche elle créé de nouveaux besoins et services.

L'utilisation d'Internet dans l'éducation peut-elle aggraver les inégalités ?

Jean-Louis Durpaire : Pour que les technologies éducatives et les technologies de communication se développent, il faut un certain nombre de conditions : l'engagement de financements, un dispositif d'animation, la conviction et l'adhésion des enseignants. Une défaillance durable d'un de ces trois piliers entraîne une inégalité. J'ai conscience de travailler dans un contexte géographique privilégié, d'être soutenu par un discours politique territorial en faveur des techniques de communication.

Quand pourra-t-on dire que quelque chose aura véritablement changé à l'échelle de la France ?

Jean-Louis Durpaire : Quand toutes les collectivités territoriales, à tous les niveaux de compétence, auront commencé d'inscrire des lignes budgétaires permettant également le renouvellement des équipements. Alors, un progrès fantastique aura été accompli. Les lois de décentralisation sont acquises : les équipements sont à la charge des collectivités territoriales. Au niveau de l'Etat, c'est un plan structuré qu'il faut bâtir. Que signifie équiper un établissement ? Où faut-il mettre des outils ? Comment les fonctions de régie, d'animation de réseau, d'entretien technique sont-elles assurées ? Il faut répondre à toutes ces questions, motiver tous les acteurs du système éducatif et assurer la pérennité du développement.

Peut-on définir un budget pour équiper chaque établissement ?

Jean-Louis Durpaire : Ce sont des ratios plutôt qu'il faudrait définir. Par exemple, un micro pour 15 élèves en collège. Ce qui pour un collège de 300 élèves, fait 20 micros au prix moyen de 10 000 F (avec quelques périphériques) soit 200 000 F. Donc pour un renouvellement triennal, 70 000 F par an environ. Evidemment quand vous avez une centaine de lycées dans une région, les sommes deviennent importantes. Mais c'est à comparer avec les investissements en bâtiments, en infrastructures routières ou autres.

Pensez-vous que des établissements d'enseignement étrangers, spécialisés ou généralistes, pourraient utiliser Internet pour s'établir en France ?

Jean-Louis Durpaire : Par rapport aux sphères dans lesquelles je travaille, cela me semble tout à fait marginal. Mais l'éducation est un monde assez vaste. Les collèges virtuels qui peuvent exister ici ou là, émanent encore de collèges, de professeurs et d'élèves bien réels.

Pensez-vous, enfin, qu'Internet mette en péril la francophonie ?

Jean-Louis Durpaire : Au contraire. La francophonie prend du corps avec l'interconnexion et le réseau. Et je le vis moi-même, puisque je suis internaute essentiellement dans une communauté francophone. Mes sources et mes lieux de navigation sont, pour la plupart, francophones. C'est vrai que la communauté francophone africaine n'est pas encore très "branchée". Mais cela viendra. ■

JEAN-LOUIS DURPAIRE

Inspecteur d'académie, Jean-Louis Durpaire dirige le Centre régional de documentation pédagogique de Poitou-Charentes. Il est également chargé d'une mission de développement de l'utilisation des technologies nouvelles auprès du recteur de l'Académie de Poitiers. Il est l'auteur d'*Internet à l'école en France*, publié en février 1997, dans la collection L'Ingénierie éducative du CNDP. Il est président de l'Association nationale des directeurs de CRDP.

ÉTAT CIVIL

2

Les chantiers de l'Administration

L'Administration est une gigantesque machine à produire, traiter et diffuser de l'information. Il serait donc surprenant de ne pas la trouver au cœur de la révolution numérique.

Christian Scherer, lui-même internaute résolu, montre qu'en dépit de ses réticences ou de ses trop fameuses lenteurs, elle s'engage aujourd'hui dans la voie de l'expérimentation.

L'essor de l'industrie de ces dernières décennies est largement dû au machinisme qui a remplacé la peine des ouvriers par le travail des machines. Pourquoi n'en irait-il pas de même aujourd'hui pour les cols blancs ? L'ordinateur n'est-il pas capable de soulager leur peine ? Ne peut-on imaginer de lui confier la réalisation d'extraits de naissance, de permis de conduire, de diplômes ou le recouvrement de l'impôt ? Les outils de stockage et de transfert de l'information permettent de repousser des frontières technologiques auxquelles se sont heurtés nos prédécesseurs. Notre administration se trouve donc aujourd'hui confrontée à un formidable défi.

Quels sont au juste ses métiers ? Essayons de distiller l'ensemble des activités de la machine administrative comme on le fait pour les produits pétroliers. Au sommet de la colonne, on trouve des produits "de

Un immense chantier d'automatisation

La myopie des Français devant les opportunités de simplification rendues désormais possibles par les services en ligne

Efficacité :
Aujourd'hui, les armes de guerre les plus sophistiquées incorporent déjà plus de 50 % en valeur de logiciel...

tête", où s'exercent la souveraineté de l'Etat et le pouvoir "régalien" : la diplomatie, le maintien de l'ordre, la justice. Il s'agit d'activités nobles, à première vue difficiles à automatiser. A la base, au contraire, on trouve des activités beaucoup plus nombreuses et banales, déjà largement en train de disparaître : la reproduction sans valeur ajoutée de documents a d'abord été facilitée par l'usage du papier carbone puis des liasses autocopiantes et, aujourd'hui, des photocopieuses. Le papier est menacé à son tour par des supports plus modernes, magnétiques et optiques.
Parallèlement, la possibilité d'accéder à distance à des informations dites "en ligne" évite leur stockage en de multiples endroits. Par définition unique, le *Journal officiel* se prêterait bien à un stockage centralisé sur un serveur accessible directement à distance par les usagers.
Entre ces deux extrêmes, on commence à discerner un immense chantier d'automatisation avec la perspective d'anéantir les délais administratifs. Quelle est aujourd'hui la justification des deux heures d'attente pour un citoyen qui se rend à la préfecture de son département afin d'obtenir une carte grise alors que le processus de traitement de sa demande ne nécessite en réalité que quelques secondes ? Peuple indocile et imaginatif, les Français excellent à trouver des raccourcis et seul leur souci de maintenir une fonction publique nombreuse et protectrice peut expliquer leur myopie devant les opportunités de simplification offertes par les technologies modernes.

Les fonctions régaliennes se virtualisent

Faut-il vraiment exclure de ce chantier les tâches dites "régaliennes" comme la défense, la police, le pouvoir de battre monnaie et de lever l'impôt ? Voire. Les guerres modernes ont montré que l'issue d'un conflit dépend beaucoup moins désormais du volume des moyens humains engagés que de leur efficacité. Le domaine de la monnaie est, lui aussi, une grande prérogative des Etats souverains. Aujourd'hui, le développement des moyens de paiement électroniques se joue des frontières. Le métier de douanier s'est déjà fortement délocalisé. Va-t-on devoir le virtualiser ? Comment en effet prélever un impôt sur une transaction dématérialisée ? Le concept de monnaie électronique inspire le vertige, même si la fraude sévit déjà de manière endémique sur les billets, les pièces de monnaie et les cartes de crédits.

On attend de l'Etat plus d'écoute

Une médiation d'assistance à réinventer

La fonction sociale de l'Etat pourrait sembler à l'abri de la révolution technologique. Comme le fit, à l'époque, la révolution industrielle, l'irruption des nouvelles technologies engendre son cortège d'exclus mais il s'accompagne aussi de formes de stress spécifiques chez ceux qui sont contraints de s'adapter plus vite que leur nature n'est capable de le supporter. Peut-on imaginer l'intense pression psychologique subie par le contrôleur du trafic aérien, le pilote de ligne, le conducteur de TGV ou de centrale nucléaire ! Entourés de robots ou d'automates, ils ne conservent plus que les leviers essentiels que l'on n'a pas encore osé confier à une machine.

Les nouvelles formes de travail abolissent les repères traditionnels et entraînent une profonde remise en cause des structures sociales traditionnelles

D'un côté donc, une majorité d'exclus rejetés du monde du travail parce qu'ils ne savaient exécuter que des tâches à faible contenu informationnel et, de l'autre, une poignée de cadres instruits et hyper-formés sur lesquels pèsent d'écrasantes responsabilités génératrices de stress. Les nouvelles formes de travail abolissent les repères traditionnels (cycles quotidiens, hebdomadaires, annuels, frontières entre travail et vie privée, entreprise et monde extérieur, entre la nation et l'étranger...). Elles entraînent une profonde remise en cause des structures sociales traditionnelles : la famille, l'entreprise, le village, la nation. Plongé dans un monde dont les frontières se diluent, l'homme moderne cherche de nouveaux repères : la revendication, l'agressivité, les stupéfiants, les sectes. On attend de l'Etat plus d'écoute et plus d'assistance. Il n'est pas certain que le modèle socio-culturel sur lequel est formé le fonctionnaire soit adapté à cette situation.

De l'importance des métiers de guichet

Les employés doivent être fréquemment relevés, comme jadis nos poilus de Verdun

Guichet et back-office, deux cas spécifiques

Devant la remontée conjointe de l'illettrisme et de communautés locales qui ne se réclament plus de l'identité nationale, il faut réinventer une fonction de médiation entre tous ceux qui ont accès à la connaissance et aux réseaux d'information et ceux qui en sont exclus. Sous cet angle, les métiers "de guichet" méritent une attention particulière. L'observation des comportements d'usagers dans les files d'attente révèle deux profils-type assez contrastés. D'une part, l'usager qui attend un service simple, bien identifié et facile à automatiser ; d'autre part, celui qui vient rechercher un conseil face à une difficulté ou simplement une relation humaine. Ces deux populations cœxistent mal, ce qui est une source de tension que les employés de guichet vivent mal. La mise en place d'automates en remplacement des anciens guichets n'est qu'un palliatif. Pourquoi se rendre à la gare ou au bureau de Poste si l'on n'y rencontre qu'un robot, alors qu'on a découvert avec le Minitel que le guichet automatique peut se rapprocher de l'utilisateur ?
Les métiers dit de "*back-office*" sont encore menacés. Par exemple, les nombreux métiers de la banque qui n'exigent pas un haut niveau de qualification et sont aujourd'hui justiciables d'un traitement automatisé. Aujourd'hui, les banques ne manipulent plus guère les chèques et préfèrent travailler sur leur image électronique, plus facile à stocker et à transmettre.
En même temps qu'elle détruit des emplois "d'intermédiaires", la révolution technologique requiert de vrais *médiateurs*, avec une importante dimension relationnelle et humaine.

Le tiers de confiance face à la preuve électronique

L'administration a un rôle de conservation d'information à des fins de preuve. C'est ce qu'on appelle aujourd'hui le métier de "tiers de confiance". L'état civil enregistre les naissances, les mariages, les décès ; le notaire enregistre les transactions foncières et le cadastre tient les plans parcellaires. Ces responsabilités requièrent à la fois une capacité de conservation des preuves et une réelle autorité, unique puisqu'elle doit faire référence. S'il est fait appel à la

technique, elle doit être parfaitement maîtrisée. Si l'Etat la maîtrise moins bien que tel opérateur privé ou étranger, il est menacé dans son rôle. C'est ainsi que, dans de nombreux pays peu développés, l'Etat a perdu telle compétence au profit d'un pays plus développé qui lui porte assistance, devenant ainsi en fait sinon en droit, le tiers de confiance.
C'est bien dans le domaine des nouvelles technologies de l'information et de la communication que les effets les plus considérables sont à attendre car quelle est la raison d'être de la majeure partie de notre administration, si ce n'est de traiter et stocker l'information ? Dans un monde “virtuel”, chacun des métiers consistant à enregistrer une information en vue de faire foi doit trouver le chemin de son adaptation car ce rôle demeure, même s'il change de forme. A l'ère de la signature électronique, des formes nouvelles de preuve restent à imaginer et à faire entrer dans les mœurs.

L'Etat est menacé dans son rôle

A l'ère de la signature électronique, des formes nouvelles de preuve électronique restent à imaginer

Un risque redoutable : la mauvaise anticipation

L'ouverture de nos frontières aux échanges est un phénomène qui s'est vivement accéléré au cours de ces vingt dernières années. Pourtant, cette évidence tarde à provoquer l'adaptation qui s'impose au sein de nos structures administratives. Dans tous les domaines, l'Etat est confronté aux conséquences immédiates ou futures de l'ouverture des frontières dont la construction européenne, maintenant bien entrée dans nos mœurs, n'est qu'une des manifestations les plus connues.
Nous sommes en présence d'une véritable invasion de ces nouvelles technologies. Elle ne revêt pas une allure militaire, mais elle n'en est que plus insidieuse car elle s'attaque aux fondements de notre économie et de notre culture. Certes, cette technologie n'appartient à personne en particulier et il suffit de la comprendre et de la maîtriser techniquement et économiquement pour se l'approprier. Mais encore faut-il être capable d'anticiper, car lorsque les taux de croissance s'écrivent avec deux chiffres, un léger retard au départ se traduit à l'arrivée par des écarts considérables.

Les autoroutes de l'information n'appartiennent pas aux Américains

Toute erreur d'anticipation peut entraîner une catastrophe dont le pays ne se remettrait pas

Les autoroutes de l'information n'appartiennent pas aux Américains, même si le président Clinton a été le premier à en faire un axe essentiel de sa politique. Il n'y a aucune fatalité. Les ingénieurs français ont largement montré dans le passé leur capacité à maîtriser les technologies de l'information.
En revanche, il y a péril car la France est un pays où l'Etat, par son omniprésence, a longtemps imposé sa politique industrielle dans ces domaines et où son action est loin d'avoir atteint les résultats espérés. Cette centralisation du pouvoir de décision, qui a permis la généralisation du Minitel, est une arme efficace si elle est bien maniée. A l'inverse, toute erreur d'anticipation peut entraîner une catastrophe dont le pays ne se remettrait pas.

Internet : un désordre à réguler ?

Dans une première phase, jusqu'au milieu de l'année 96, l'Etat a adopté une attitude défensive face à la poussée du réseau Internet. Le Minitel dotait la France d'une sorte de digue protectrice derrière laquelle continuait de prospérer toute une industrie de services télématiques qui suscitait curiosité, étonnement et envie chez nos partenaires étrangers. Pourquoi, dès lors, aurait-il fallu ouvrir ses portes à un réseau qui se serait comporté comme un cheval de Troie culturel et économique ?
Après une phase de retardement, essentiellement consacrée à des opérations de dénigrement, où le réseau des réseaux est qualifié de "futile", "foisonnant", "peu fiable", "trop lent", "pas sérieux", "trop compliqué", "à la solde des Américains", etc., l'Administration s'est avisée qu'elle ne pouvait en empêcher le développement et qu'il serait trop risqué de lancer une contre-offensive. Elle a donc décidé de réglementer. Ce sera l'objet de toute une série de missions de réflexion lancées par le gouvernement. Malheureusement, le domaine de compétence des autorités administratives s'arrête aux limites du territoire national. Pas celui de l'Internet : il s'étend jusqu'aux vaisseaux spatiaux puisque le jour où l'homme installera une base lunaire, elle sera évidement connectée.
De plus, il en est d'Internet comme de la fiscalité :

toute réglementation trop sévère fait fuir le justiciable et risque de se révéler contre-productive par rapport aux véritables intérêts du pays. La CNIL défend des intérêts parfaitement respectables mais comment éviter, par exemple, que les fichiers d'anciens élèves de telle école ou universités ne s'enfuient vers des cieux légalement plus cléments ? Enfin, il est toujours dangereux d'imposer à d'honnêtes citoyens plus de contraintes qu'aux voyous et l'Etat français rencontre la limite de son pouvoir. Internet n'est pas pour autant un espace de non-droit. Dans le plus pur esprit mutualiste, ses gestionnaires ont appris depuis l'origine à se débarrasser des brebis galeuses, sans avoir attendu que la France ne vienne à leur secours. Le droit s'applique sur Internet : non le droit français mais le droit international, celui de la propriété intellectuelle, du commerce, de la responsabilité individuelle.

Le gouvernement donne l'exemple

Dans une troisième phase, le gouvernement a pris la mesure de la situation et a décidé de réagir en occupant le terrain, en affichant sa présence sur Internet et en comprenant que les seules stratégies possibles sont de type offensif :

- création de sites d'information porteurs des valeurs culturelles de la France et de la francophonie ;
- mise en valeur du patrimoine touristique et des produits français ;
- offre de services compétitifs au plan international.

Il est frappant de remarquer que l'essentiel du combat francophone a été initialement mené avec courage et efficacité par nos amis québécois, bien moins nombreux que les Français, mais toujours bien plus actifs qu'eux sur le réseau. Internet fait d'ailleurs réapparaître les zones traditionnelles d'influence françaises dans le monde, au Vietnam par exemple. Internet fait aussi progressivement apparaître une autre image de la France.

La France est bien sûr toujours le pays des vins, des fromages et des parfums mais elle est aussi une nation d'ingénieurs, capable aujourd'hui, seule ou avec ses partenaires européens, de relever de grands

CHRISTIAN SCHERER

Ingénieur au ministère de l'Industrie, Christian Scherer est particulièrement rompu aux techniques informatiques.
Il a créé le site web *AdmiNet*, qui facilite l'accès aux informations publiques et il est depuis avril 96, webmestre du serveur *Evariste*, du ministère de l'Industrie, de la Poste et des Télécommunications.

ÉTAT CIVIL

Notre administration se trouve placée devant un défi inattendu : la concurrence

défis technologiques comme l'automobile, le nucléaire, le train à grande vitesse ou les lanceurs spatiaux. Il appartient à l'Etat de reconnaître ces talents, non pas pour se les approprier mais pour jouer en leur faveur le rôle de soutien et de valorisation qui lui revient, comme le font d'ailleurs ses homologues de tous les grands pays industrialisés. Notre pays n'a-t-il pas en ce domaine de solides atouts à mettre en avant ? Et dans d'autres domaines : arts, culture, organisation de la société, environnement !

Vers de nouvelles frontières

Notre Administration se trouve devant un défi inattendu : la concurrence. Plutôt que de considérer qu'elle est unique et qu'elle va de soi, il lui faut maintenant s'interroger sur sa performance, sa compétitivité, par référence à d'autres modèles d'organisation des sociétés. L'époque des canonnières est révolue. Lorsque le Japon décida d'adopter un Code civil traduit de celui de Napoléon, ce ne fut pas le résultat d'une expédition coloniale mais simplement la reconnaissance des qualités intrinsèques du produit. Il en est désormais ainsi de chacune des activités, de chacun des produits de notre administration. Elle se trouve désormais à découvert et va devoir apporter la preuve de son efficacité et de sa capacité à s'approprier au mieux les nouvelles technologies afin d'en faire bénéficier ses usagers. ■

Christian Scherer

2

Le facteur humain

Entreprise à part entière mais toujours au service du public, La Poste se prépare à assumer ses missions dans un monde transformé par la révolution numérique. Modernisation des services traditionnels, développement de nouveaux services déjà accessibles en ligne, contribution à la compétitivité de l'économie et à la démocratisation des technologies : Claude Bourmaud considère que La Poste opère depuis toujours dans la société de l'information.

La Poste est désormais une entreprise à part entière, soumise à toutes les obligations et contraintes de l'entreprise : l'écoute permanente du client, la concurrence, l'équilibre de ses comptes, etc. Mais cette entreprise est tenue de satisfaire, de surcroît, des obligations qu'on désigne sous le terme générique de "service public" mais qui méritent une analyse plus précise tant cette notion recouvre d'aspects divers dont certains restent méconnus. Opérateur du service universel du courrier, La Poste est aussi un opérateur commercial de premier plan dans le domaine de la communication (marketing direct), un prestataire de services de proximité et, plus généralement, un *médiateur* pour les entreprises et l'ensemble de la population.
La Poste opère dans le secteur de la communication directe et des échanges où son métier de base peut être ainsi défini : *la logistique du courrier et du colis.*

La logistique du courrier et du colis.

Les pronostics sur le "déclin de la poste" ont toujours été démentis

Pour cela, elle met en œuvre ses propres réseaux mais recourt également à des réseaux qui ne sont pas sa propriété : cette précision est essentielle car elle souligne que le "métier" fondamental de La Poste réside dans la collecte, l'acheminement et la distribution d'objets, en quelque sorte indépendamment des supports et des voies qu'ils empruntent. C'est donc à tort qu'on redoute (ou espère, cela dépend !) le déclin de La Poste du fait du développement des réseaux de télécommunications et des services auxquels ils donnent accès, y compris les services du courrier dit "électronique". C'est un peu comme si on avait redouté que le développement du chemin de fer, de l'automobile ou de l'aviation conduisent la poste à sa perte sous prétexte qu'elle a longtemps eu recours à des messagers à cheval ! En réalité, tout au long de sa longue histoire, la poste a toujours su prendre un temps d'avance dans la mise en œuvre des technologies de la communication : on sait à quel point la poste est associée à l'épopée des pionniers de l'aviation. Outre cela, il faut rappeler que l'arrivée de nouvelles technologies condamne rarement celles qui les ont précédées.
Il y a une vingtaine d'années, d'aucuns estimaient déjà que la télématique serait fatale à la poste à plus ou moins brève échéance : en réalité, depuis, le trafic courrier a augmenté de manière régulière et importante, du fait notamment de la croissance de la communication commerciale.
Toujours démentis, les sombres pronostics le seront sans nul doute à nouveau, même si se produisent, comme c'est probable, des transferts du "papier" vers l'électronique, surtout dans les relations inter-entreprises.

Commerce et services publics

"Industriel de la logistique", La Poste exerce une importante fonction *commerciale* : la majorité du courrier qu'elle distribue relève désormais de la *communication*, qui se distingue de la correspondance entre particuliers ou institutions de toute nature. A cet égard, elle se trouve en situation de concurrence, comme c'est le cas, de façon plus radicale encore, dans le domaine du colis et des services financiers. Quant aux obligations de service public, elles ne se limitent pas comme on le croit souvent au service public du courrier tel qu'il est prévu par la loi de 1990 et les textes pris au niveau de l'Union européenne. De manière peut-être plus concrète, au niveau local, La Poste, forte de ses 17.000 bureaux, est un prestataire de services de proximité incarnés par le facteur et le receveur : c'est la dimension "aménagement du territoire" du service public dont il faut rappeler que le coût s'élève à plus de trois milliards de francs environ chaque année.

La Poste assure également une forme de service public à caractère économique : par exemple, en mettant le marketing direct, la vente par correspondance ou encore les échanges électroniques à la portée de toutes les entreprises et notamment des PME, elle contribue à la compétitivité de l'économie nationale.

Plus généralement, La Poste peut être considérée comme un médiateur intervenant de manière décisive dans "l'initiation pédagogique" et la démocratisation de certains services : accès pour tous, sans discrimination, aux services financiers et, à présent, accès aux technologies et aux nouveaux services en ligne. Comme le souligne Claude Viet (dans le précédent numéro des *Nouveaux Cahiers de l'Irepp*), La Poste participe à sa manière à la *personnalisation* des modes de communication, au sens fort de ce terme, c'est-à-dire en mettant en rapport des personnes grâce à un réseau humain unique en France.

Enfin, il ne faut pas oublier que La Poste contribue au débat démocratique en assurant la distribution des supports d'information et d'opinion, notamment de la presse, à des tarifs avantageux.

Un opérateur de services de proximité

La Poste participe à la personnalisation des modes de communication, en mettant en rapport des personnes grâce à un réseau humain unique en France

La Poste dans la société de l'information

Les diverses fonctions de La Poste ainsi précisées, son rôle dans la société de l'information devient presque évident. Toutes les fonctions que nous avons évoquées sont ou vont être transformées par l'introduction des NTIC [1], ce qui montre assez l'impact et les enjeux de la révolution numérique. C'est pourquoi toutes les branches de La Poste (courrier, colis, services financiers, réseau...) sont actuellement enga-

[1] *NTIC : nouvelles technologies de l'information et de la communication.*

L'essor du courrier hybride

Les NTIC produisent beaucoup plus de papier qu'elles n'en suppriment

Courrier hybride : courrier qui empreinte, au cours de son processus de traitement (de la collecte à la distribution), des voies et des supports différents.

gées dans des études ou des projets à forte valeur ajoutée technologique.

Le courrier électronique

Principal opérateur national du courrier, La Poste a évidemment un rôle à jouer dans le domaine du courrier électronique. Cette évolution est d'autant plus naturelle que La Poste a déjà beaucoup investi dans le développement de ce qu'il est convenu d'appeler le "courrier hybride".

Par exemple, un courrier collecté et acheminé sous forme électronique peut être distribué sous forme papier (après impression par la filiale compétente de La Poste) soit parce que le destinataire ne dispose pas des moyens de "lecture" requis, soit parce que l'expéditeur estime que le support papier est plus approprié au message qu'il souhaite délivrer. Le courrier hybride manifeste cette (relative) "indifférence" de La Poste à la nature du support. Je précise toutefois que je ne crois guère au déclin du papier : comme tout le monde, je constate chaque jour que les NTIC produisent – ou consomment, c'est selon ! – bien davantage de papier qu'elles n'en suppriment.

Non seulement le papier n'est pas " substituable ", mais l'irruption de l'électronique amènera les opérateurs et les industriels concernés, stimulés par la compétition, à mettre en valeur ses avantages et ses attraits spécifiques. Je parierais volontiers que le développement du courrier électronique va entraîner une croissance du courrier papier, du moins dans certains types de relations, même si la part relative du papier stagne ou régresse. Dans la mesure où le courrier électronique engendrera une forte augmentation générale des échanges, le courrier traditionnel en profitera suivant un effet d'entraînement qui s'est déjà manifesté à plusieurs reprises dans l'histoire des médias.

Dans un autre registre, on constate que les "publications en ligne" finissent souvent par donner naissance à une version papier, comme si le papier demeurait une référence et une consécration dans le monde de l'édition.

Un *e-mail* pour chaque Français ?

Garantir la distribution du courrier quel qu'en soit le support initial ou intermédiaire

Vers un service universel du courrier électronique ?

Mais si le courrier électronique devient une simple modalité du courrier (en général) on est fondé à se demander si La Poste n'a pas également vocation à devenir l'opérateur du service universel du courrier électronique. Si chaque Français doit être doté d'une adresse et d'une boîte aux lettres électroniques (qu'il soit ou non équipé d'un terminal d'accès), comme le recommande notamment le rapport Martin-Lalande dans une perspective déjà explorée par l'Irepp[2], La Poste est sans doute l'opérateur le mieux placé pour assurer ce service, en collaboration avec les opérateurs de télécommunications et autres fournisseurs d'accès Internet. La Poste est en effet capable de garantir la distribution du courrier quel qu'en soit le support initial ou intermédiaire, notamment aux usagers dépourvus de moyens d'accès électroniques (ordinateur, Minitel et bientôt téléviseur connectable à l'Internet).

La distribution du courrier électronique apparaît ainsi comme une application particulière du courrier hybride. Clin d'œil de l'histoire à la prospective : la distribution par La Poste de "*e-mail*" imprimés sur support papier ressuscitera, en quelque sorte, le télégramme !

On ne saurait trop insister sur la dimension proprement politique d'un tel projet, qui permettra, entre autre, de combler rapidement le "retard français", avec d'importantes retombées économiques : stimulation du marché des services en ligne, modernisation de l'économie française, par une double action combinée, *via* l'offre (les entreprises) et via la demande (les particuliers).

J'ai évoqué tout à l'heure le rôle de La Poste comme médiateur de la modernisation de l'économie : le servi-

[2] *L'Irepp a entrepris une étude relative au rôle des postes dans le service universel du courrier électronique :* « Que chaque citoyen dispose d'une adresse électronique, au même titre qu'il dispose d'une adresse postale ». *L'étude de l'IREPP recommande notamment des expérimentations dans le cadre de projets de développement local fondés sur les NTIC. En France, le service Télépost intègre également cette dimension (NDLR).*

Une fonction de "tiers de confiance"

Médiateur entre les citoyens et la technologie pour la démocratisation des usages

Télépost : accès des particuliers et des entreprises à divers niveaux de service de courrier électronique allant de la messagerie simple ou sécurisée à l'EDI avec toujours la possibilité d'une "traduction papier".

ce Télépost illustre de manière exemplaire ce rôle dans la société de l'information.
La mise en œuvre de ces services de base engendrera de multiples services en ligne dérivés. Par exemple, celui de l'annuaire universel (recensant les diverses adresses, physiques ou électroniques) qui aura des retombées considérables dans le domaine du marketing direct où les filiales du groupe La Poste sont très présentes. Ou encore les formulaires électroniques, une "démocratisation" de l'EDI au bénéfice des professionnels et du grand public. De son côté, la branche colis doit tirer profit de la croissance du trafic entraînée par le commerce électronique.
Par ailleurs, La Poste est tout naturellement appelée à remplir des fonctions de "tiers de confiance" pour l'authentification, les services associés au courrier (accusés de réception, recommandés...), la gestion des clés de cryptage ou les services de paiement sécurisés.
Paradoxalement, la mondialisation de l'économie accélérée par le déploiement des réseaux accroît le besoin de services de proximité. Plusieurs auteurs intervenants dans ces Cahiers insistent sur la "*montée simultanée du global et du local*". On peut illustrer ce phénomène dans le domaine du colis : le développement du commerce électronique et celui, corrélatif, de la vente par correspondance et à distance requièrent des réseaux denses de collecte et de distribution. Avec son réseau, La Poste est évidemment bien placée pour faire face à cette double exigence : celle des producteurs et celle des consommateurs. L'accès des particuliers aux outils et services du multimédia offre un autre exemple : aussi longtemps que tous les Français ne seront pas connectés à domicile, le bureau de poste pourra constituer pour eux un moyen d'accès commode et familier. C'est ainsi que La Poste remplira sa fonction de médiateur entre les citoyens et la technologie pour la démocratisation des usages (comme elle l'a déjà fait historiquement pour le téléphone et cet ancêtre du courrier électronique qu'a été le télégraphe).
Enfin, il faut mentionner les importantes synergies résultant du fait que La Poste est un opérateur intervenant dans trois fonctions – courrier, colis et services financiers – étroitement articulées entre elles dans le nouveau commerce en ligne.

PARIS
BANLIEUE
AUTRES DESTINATIONS
PANCHO

Sensibiliser et former l'ensemble des postiers

La Poste se présente aujourd'hui sans état d'âme comme un acteur majeur de la société de l'information

Comment La Poste se prépare

Si les opportunités voire les obligations sont nombreuses et évidentes, encore faut-il que l'entreprise sache saisir les unes et assumer les autres. La Poste est tenue non seulement d'investir dans des projets à haute valeur ajoutée technologique mais également de se transformer en tant qu'entreprise. Pour cela, elle doit d'abord consentir un important effort de sensibilisation et de formation qui concerne son management et ses cadres mais aussi, en profondeur, l'ensemble des postiers. L'*Institut de recherches et prospective postales*, par des actions telles que la publication de ces Cahiers ou l'ouverture de son serveur Web, y participe. La Poste compte également sensibiliser... ses propres usagers et clients, conformément à sa vocation.
Comme toute entreprise opérant dans les secteurs de la communication et de l'intermédiation, particulièrement exposés au changement, La Poste met en œuvre une *veille* (technologique, stratégique, concurrentielle) attentive pour acquérir l'intelligence de ces changements. Elle tente d'évaluer *a priori* leur impact économique, dans un domaine où les modèles sont encore très hypothétiques (par exemple : estimer l'impact financier des transferts de courrier, du papier vers l'électronique). Plus généralement, le caractère radicalement novateur de la société de l'information requiert des études prospectives rigoureuses : sur la consistance des nouveaux marchés, la fonction de tiers de confiance, les nouveaux besoins de services de proximité ou l'évolution des métiers de l'intermédiation (qui sont des clients, des partenaires et parfois des concurrents du groupe La Poste), etc.
Le positionnement stratégique de La Poste dans la société de l'information est d'autant plus délicat qu'il intervient alors que les règles du jeu de l'économie postale connaissent des remises en question importantes, à l'échelle nationale et européenne. Outre les systèmes d'information opérationnels des branches (le courrier, le colis et les services financiers sont désormais des activités à haute valeur ajoutée technologique), la Poste investit dans les systèmes permettant d'accéder à ses nouveaux services en ligne (voir son serveur Web *http://www.laposte.fr* sur l'Internet). A usage interne, elle développe également un Intranet

destiné à rendre l'entreprise plus réactive, plus compétente et plus expérimentée dans l'usage des services qu'elle propose (ou proposera dans les prochaines années).
La Poste doit donc aussi développer ses compétences, non seulement techniques mais aussi dans tous les nouveaux métiers que requièrent l'édition et les services en ligne (des nouvelles formes du marketing au commerce électronique). L'importance que nous attachons à cette *nouvelle frontière* de la communication directe et des échanges se manifeste aussi par la création d'une instance spécifiquement destinée à assurer les échanges et le partage d'informations et d'expériences, la coordination, la recherche de la masse critique et d'économies d'échelle entre tous les services engagés dans des études ou des projets – ce qui est une autre façon de reconnaître que toutes les activités du groupe La Poste sont concernées. La Poste se présente donc aujourd'hui sans états d'âme comme un acteur majeur de la société de l'information. Elle dispose pour cela d'atouts importants : sa compétence (historique mais constamment mise à jour) dans le domaine du courrier, quels qu'en soient les supports et les voies ; sa maîtrise de l'adresse (qui est un "actif immatériel" essentiel de l'entreprise) ; sa légitimité et sa neutralité reconnues qui en font un "tiers de confiance" évident ; une présence postale dense : nombreux points d'accès aux services et articulation de réseaux techniques avec un réseau humain dont Jacques Lenormand a souligné l'importance pour les services financiers.
En s'engageant ainsi sur les autoroutes de l'information sans négliger pour autant les " chemins creux " où s'est toujours affirmée sa présence, La Poste ne cède pas à un effet de mode. Elle entend simplement se moderniser pour faire face au changement, à la concurrence, à ses obligations de service public. Et contribuer du même coup à la modernisation de l'économie et de la société. ■

Claude Bourmaud

Claude Bourmaud

Nantais d'origine, Claude Bourmaud, 50 ans, est président de La Poste. Ancien élève de l'ENSPTT, il a été successivement administrateur à la direction du personnel et des affaires sociales des Postes et Télécommunications, conseiller social auprès du ministre, puis directeur des finances et du contrôle de gestion de La Poste. Il est nommé en décembre 1993 directeur général, puis en décembre 1996, président du conseil d'administration de La Poste.

État civil

c o n c l u s i o n

Le vendeur, le prophète et le plombier

Que retenir, en synthèse, des points de vue et autres témoignages recueillis dans ces deux numéros des *Nouveaux Cahiers de l'Irepp* ?
Nous avons vu que les "nouvelles chaînes de valeur ajoutée" remettent en question, à défaut de les menacer dans leur existence, la plupart des intermédiaires du commerce et des échanges. Certains vont plus loin, jusqu'à remettre en cause aussi ces intermédiaires à très haute valeur ajoutée que sont le journaliste, le professeur, le politique, le fonctionnaire, l'avocat : l'utopie du paradis Internet, comme le dit Jean-Rémi Gratadour (*Cahiers 20, Un fil d'Ariane*) promet, on s'en souvient, l'accès direct à l'information, au savoir, au pouvoir, à l'emploi, à "l'autre"...
L'Internet et les services qu'il rend accessibles partout et à tout moment ne supprimeront ni les intermédiaires du commerce ni les médiateurs (de la vie sociale). Mais ils vont bouleverser les fonctions d'intermédiation.
En règle générale, les réseaux et leurs dispositifs de transaction prennent en charge les fonctions à faible

valeur ajoutée, celles qui relèvent de la simple commutation face aux obstacles de l'éloignement et aux coûts de transaction qu'ils engendrent. En même temps, les services en ligne transfèrent à l'usager une autre partie de la transaction. Par exemple, lorsque FedEx ouvre sur l'Internet son service de *tracing and tracking* (suivi de l'acheminement des paquets) il confie à ses clients une tâche effectuée jusqu'ici par ses employés. Et le client, en général, ne s'en plaint pas. Pas plus que les usagers de la banque ne contestent les distributeurs automatiques de billets ou ceux de La Poste les automates d'affranchissement.

Nous avons besoin de médiateurs

L'intermédiation tend à se déplacer vers les hautes couches de valeur ajoutée

Bien loin de disparaître, les fonctions d'intermédiation tendent au contraire à se déplacer vers les "hautes couches de valeur ajoutée" : en clair, nous avons besoin de médiateurs pour faire ce que ni la machine ni son utilisateur ne peuvent accomplir par eux-mêmes.

Le cyber-vendeur. Peut on imaginer un marché sans vendeur ? Vendre, c'est transformer un vague besoin implicite en produit ou service explicite. Acheter c'est perdre mille rêves au profit d'une seule réalité, comme le dit bien le slogan publicitaire de Sony : « Je l'ai rêvé, Sony l'a fait... ». L'achat, cette fête, est presque toujours une source de regrets : le vendeur a pour vocation de réduire la part des regrets... La situation la plus adaptée à ce genre de transaction, c'est évidemment le face à face, au sens propre du terme. Sur l'Internet, par définition, cette relation est impossible. Le commerce électronique présume des clients parfaitement rationnels, armés de leurs outils de recherche et de leurs agents intelligents :

c'est précisément cette exclusion du vrai vendeur qui constitue la principale faiblesse de l'Internet commercial. Toutefois, le cybermarché peut produire une "nouvelle race de vendeurs" (ou plutôt de commerçants) : le courtier-gérant de boutique électronique [1]. Avec pour seul investissement un ordinateur multimédia, des moyens de connexion performants et une bonne connaissance de tout ce qui se vend sur le réseau, il va ouvrir pour les habitants de son canton une vraie boutique virtuelle (si l'on peut dire !). Sa vitrine ? Un catalogue multimédia, en fait : une page Web regroupant des dizaines de liens vers les boutiques électroniques les plus avantageuses ou les plus excitantes sur le *net*. Il prendra les commandes, réglera les problèmes de taxes, assurera le paiement et les autres transactions commerciales et juridiques (ce qui suppose un aménagement et une simplification des législations existantes). Il organisera la livraison après avoir identifié, toujours sur l'Internet, les offres de messageries les plus avantageuses et suivra lui-même le *process* d'acheminement des colis... Dans bien des pays de France en proie à la désertification, la cyberboutique pourrait bien être le seul commerce encore établi. Cet exemple manifeste bien la "montée dans les couches de valeur ajoutée" des nouveaux intermédiaires : notre cyberboutiquier (qui est fondamentalement un *courtier*) est à la fois un veilleur, un pédagogue, un organisateur et – quand même ! – un vendeur.

Du veilleur professionnel au journaliste. Les entreprises emploient de plus en plus des veilleurs dont la fonction consiste à parcourir les gisements d'informations dispersés sur le réseau pour en extraire et mettre en forme ce qui intéresse l'entreprise : veille technologique, stratégique, concurrentielle... Le veilleur

[1] *Nous devons cet exemple à Hervé Lebec, auteur d'un article dans le présent* Cahier.

est un médiateur entre l'information brute (et parfois délibérément trompeuse...) et l'information qui permettra à l'entreprise d'acquérir l'intelligence économique de son secteur d'activité. L'intermédiaire, en l'occurrence, ce sont les moteurs de recherche et autres services d'information personnalisée qui sont les principaux outils du veilleur.
Le métier de journaliste s'apparente à celui de veilleur. Aux intermédiaires traditionnels que sont les agences de presse déjà très présentes sur le réseau, l'Internet ajoute la mise à disposition d'un gisement colossal d'information et les outils nécessaires à leur traitement : informations diffusées par les professionnels (la presse) et aussi, désormais, par les non-professionnels (de l'information), entreprises, particuliers, forums de discussion. On a pu dire qu'avec l'Internet tout le monde peut devenir journaliste. Mais ce qu'on attend d'un vrai journaliste, ce n'est pas tant de *l'information* que du *sens*, ce qui fait toute la grandeur mais aussi toute la difficulté et l'ambiguïté du métier (voir, sur ce point, les analyses éclairantes de Jean-Marie Colombani). Là encore, si chacun peut se faire son propre journal comme le proposent déjà plusieurs serveurs sur le Web, la profession de journaliste est tenue, comme les autres, de “monter dans les couches de valeur ajoutée”. Veilleur, journaliste, pédagogue : les frontières s'estompent.

L'avocat. Bien loin de se sentir menacés, les avocats et les juristes voient dans l'Internet l'occasion d'un développement sans précédent de leur activité : l'Internet est aujourd'hui sinon sans foi du moins sans loi. Ce n'est donc pas seulement une nouvelle source de contentieux mais un nouvel espace juridique à organiser. Deux fournisseurs d'accès français en savent quelque chose : ils furent naguère mis en examen pour avoir laissé passer sans y prendre garde des contenus diffusés par des serveurs étrangers mais réprimés par la loi française... Cela dit, et sans vouloir offenser personne, l'avocat, le juriste on un point commun avec le vendeur : eux aussi sont chargés d'expliciter l'implicite. Le juriste transforme un conflit en contentieux. Le juge n'est juge que du contentieux au risque, s'il était celui du conflit, de juger en équité et donc de s'appuyer sur la conviction intime de la justice naturelle et non sur la lettre de la loi. Un conflit est à ce point passionné qu'il en devient difficilement descriptible. Or, un dossier ne peut reposer que sur des faits : il doit être parfaitement explicité. L'avocat, pour monter son dossier, outre sa compétence et son application, aura recours à d'autres intermédiaires : les experts qu'il appellera à la barre. C'est en puisant dans la jurisprudence qu'il étayera son argumentation. C'est en s'inspirant de grands maîtres du barreau qu'il organisera la défense de son client, etc. Bref : même s'ils trouvent sur l'Internet de quoi renforcer leur compétence juridique et leur dossier, il y a peu de chances que les internautes puissent se faire justice eux-mêmes...

Un nouvel espace juridique à organiser

Il y a peu de chances que les internautes puissent se faire justice eux-mêmes

Le professeur. Au contraire du vendeur, le professeur doit, lui, rendre implicite l'explicite : il transmute pour son élève le contenu d'une science parfaitement explicitée en un savoir assimilable, devenu implicite avec de surcroît un enrichissement des potentialités de compréhension et des virtualités de connaissance. *« Les problèmes peuvent être posés avec une force accrue lorsque se découvre, au niveau de la famille ou de la cité, le premier exemple éclatant d'un dilemme humain : la mort d'Antigone et la mort de Socrate aident à comprendre l'héroïsme et à le sentir dans sa simplicité* *absolue...* » (Jacqueline de Romilly, "Le besoin d'inutile et d'inactuel", in *L'enseignement en détresse*, Julliard, 1984). Tirer d'une scène de famille entre Créon et Antigone le moyen de nous éveiller à l'impératif catégorique et à la transcendance de la morale : on ne saurait trouver meilleur exemple de " passage de l'explicite à l'implicite " ! Mais comme le montre bien Jean-Louis Durpaire et conformément à la règle que nous sommes donc en train de faire émerger, le professeur, lui aussi, voit son métier évoluer "vers le haut", du matériel (fournir des supports de connaissance et d'information) à l'immatériel (donner la maîtrise intellectuelle de la connaissance et de l'information). Dans sa cyber-classe, il devra néanmoins continuer d'exercer son autorité, ne fût-ce que pour *débrancher* ses étudiants...

Tiraillée entre le local et le global...

... la politique est mise au défi de s'adapter à la société de l'information

Le savant et le politique. Jean-Louis Guigou nous a montré que les réseaux aggravent la crise des territoires en portant directement atteinte à l'un des leurs attributs essentiels : la frontière. Crise des Etats-nations, ces intermédiaires entre le local et le global ? Quoi qu'il en soit, la politique est mise au défi de s'adapter. On a dit que si les citoyennes américaines avaient pu, à l'époque, se connecter sur des réseaux, la guerre d'Indochine se serait autrement déroulée. On sait aujourd'hui que, lors de la guerre du Golfe, le Président des Etats-Unis fut soumis à un tel harcèlement de questions présentées par tous les moyens disponibles, y compris Internet, qu'il dut promettre à ses concitoyens que les opérations se termineraient rapidement ("la guerre des 100 heures"). La démocratie représentative, son nom l'indique assez, est affaire d'intermédiaires : les élus. Après bien d'autres depuis Platon et Aristote, Alain distingue dans toute Constitution de la monarchie (l'exécutif parce qu' *"il faut toujours, dans l'action, qu'un homme dirige"*), de l'oligarchie (le législatif parce que *« dans une société compliquée »* il faut *« des savants, des juristes ou ingénieurs, qui travaillent par petits groupes dans leur spécialité »*) et de la démocratie, qui réside dans le pouvoir de contrôle, *« ce pouvoir continuellement efficace de déposer les rois et les spécialistes à la minute, s'ils ne conduisent pas les affaires selon l'intérêt du plus grand nombre »*, (Alain, *Eléments d'un doctrine radicale*, 1933). De ces trois pouvoirs, le premier est sans doute le moins concerné, " s'il faut toujours qu'un homme dirige ". Mais le second pourrait bien être remis en cause par la capacité que les réseaux donnent au troisième de s'informer et de débattre. Aurons-nous toujours autant besoin de représentants si l'Internet permet non seulement à chacun de s'exprimer, mais aussi de débattre de tous les problèmes de société grâce aux forums ? A tout le moins, les rapports entre les citoyens et leurs représentants vont être transformés. Reste, bien entendu, la fonction d'expertise, de plus en plus sollicitée en effet dans la fabrication des lois "compliquées" : mais est-ce bien là une fonction proprement politique ? Et ne sommes nous pas précisément accablés par une inflation législative que la fragilité des frontières risque de rendre vaine ?

Internet est-il de gauche ou de droite ?

Les rapports entre les citoyens et leurs représentants vont être bouleversés

Mais au fait, l'Internet est-il de gauche ou de droite ? Aux Etats-Unis, le vice-président démocrate Al Gore s'est fait l'apôtre de la *Glogal Information Infrastructure* et du *new deal* qui en résulte. Dans le même temps, le très conservateur Newt Gingrich, *Speaker* de la Chambre des représentants voit dans l'Internet un moyen pour la majorité silencieuse de se faire entendre et d'intervenir dans le débat politique, contre les grands médias de masse (presse, *networks*) présumés *liberals* (c'est-à-dire, aux Etats-Unis, “de gauche”). Il est certain en tout cas que l'Internet est un moyen de réduire l'écart entre le pays réel et le pays virtuel.

Le fonctionnaire, le syndicaliste et le prophète... On pourrait ainsi passer en revue toute une série d'autres intermédiaires et médiateurs... S'interroger sur la vocation du fonctionnaire dans l'administration en ligne que nous a suggérée Christian Scherer, celle du syndicaliste, dans une “entreprise, éclatée, connectée, quand fleurissent les groupes de projets éphémères où chacun est en permanence et partout accessible”, celle du banquier ou encore du prophète, etc. Nous épargnerons cette épreuve au lecteur, d'autant qu'il dispose à présent d'une clé d'analyse efficace : la “loi de montée dans les couches supérieures de valeur ajoutée”, ou encore “de progression du matériel vers l'immatériel”.

Cette loi présente du reste des aspects inquiétants : espérons que les plombiers, mécaniciens, peintres, boulangers, médecins et autres experts du *matériel* voudront bien s'abstenir de *virtualiser* à l'excès l'objet de leurs soins et de nos soucis. Dans le cas contraire, la société de l'information pourrait bien devenir réellement invivable !

René Malgoire et Paul Soriano

L'Irepp

Qu'est-ce que l'Irepp ?

L'Institut de recherches et prospective postales remplit trois fonctions. Il observe et interprète les évolutions de l'environnement où opèrent les acteurs de la communication et des échanges, notamment les postes et les entrepreneurs postaux. Il développe ainsi un *corpus* de connaissances et d'informations. Il analyse les enjeux et les caractéristiques de la société de l'information pour aider les entreprises et les institutions associées à s'y positionner. Créé en 1987 sous forme d'association, il s'adresse aujourd'hui à tous les acteurs avec qui La Poste entretient des rapports économiques et sociaux : il met en évidence leurs intérêts communs, favorise les échanges et les projets pour le développement de leur secteur d'activité.

Les travaux de l'Irepp

Dans le domaine du commerce et des échanges, l'Irepp s'intéresse en particulier à la vente par correspondance et à distance, ainsi qu'aux activités d'intermédiation qui lui sont associées : courrier, logistique et transports, services financiers, marketing relationnel... Par sa position privilégiée au contact de multiples acteurs, il nourrit le débat sur la régulation des activités postales en intégrant les obligations du service public, l'ouverture à la concurrence et la compétitivité de l'entreprise. Entre histoire et prospective, l'Irepp met en valeur la culture de l'écrit, à travers les mutations technologiques qui en affectent les supports.

Le réseau de l'Irepp

Autour d'une équipe réduite de permanents, l'Irepp anime un réseau de professionnels, consultants, universitaires, représentants des pouvoirs publics et des organismes de régulation. Le Club de l'Irepp réunit des entrepreneurs postaux (courrier, logistique et colis), des représentants de la VPCD, du marketing, du conseil en communication, de la banque, des télécommunications. C'est l'instance où se nouent conventions et partenariats en vue de développer l'économie de la communication et des échanges.

Les réalisations de l'Irepp

Les Nouveaux Cahiers de l'Irepp : pour confronter des points de vue sur un thème d'intérêt commun aux partenaires de l'Institut.

Les Dossiers : pour explorer en profondeur un thème abordé dans les *Cahiers* ou publier les résultats d'une étude.

La Lettre : pour recueillir, diffuser l'information et maintenir le contact entre les partenaires de l'Irepp.

Le serveur Web de l'Irepp est ouvert depuis le mois de mai 1997. Vitrine de l'Institut sur l'Internet, il permet d'accéder en ligne à ses publications ainsi qu'aux serveurs internationaux qui partagent les mêmes centres d'intérêt. C'est un forum ouvert à tous pour élargir les débats lancés dans les *Cahiers* et un outil de coopération à distance accessible aux personnes et aux institutions qui constituent le réseau de l'Irepp. C'est enfin un site d'exposition consacré aux grands mythes fondateurs de La Poste.

Sensibilisation, études et conseil **:** l'Institut organise des conférences, des séminaires et un congrès triennal. Il transfère et met en œuvre les connaissances qu'il développe en participant à des actions de formation et de conseil.

les nouveaux cahiers de l'irepp sont édités par :

l'Institut de recherches et prospective postales

52-56, rue de la Croix Nivert, 75015 Paris.
Tél. : 01.45.67.96.86 - Fax : 01.47.83.70.67
e-mail : info@irepp.com

Direction de la publication : Paul Soriano
Rédaction en chef : Luc Jacob-Duvernet
Conception : SFG - 134, rue du Bac, 75007 Paris
Secrétariat de rédaction et montage : Claire Larsen et Didier Pierre
Dessins : Pancho
Fabrication : Didier Costagliola

Imprimeur : CORLET (Condé-sur-Noireau)
N° d'imprimeur : 24975
dépôt légal : juin 1997

ISBN : 2-912419-01-8